FEMINISMO
E POLÍTICA

FEMINISMO E POLÍTICA
UMA INTRODUÇÃO

LUIS FELIPE MIGUEL
E
FLÁVIA BIROLI

Copyright desta edição © Boitempo Editorial, 2014
Copyright © Flávia Millena Biroli Tokarski e Luis Felipe Miguel, 2013

Direção editorial
Ivana Jinkings

Edição
Isabella Marcatti

Coordenação de produção
Livia Campos

Assistência editorial
Thaisa Burani

Preparação
Carla Mello Moreira e Claudia Maietta

Revisão
Thais Rimkus

Diagramação
Schäffer Editorial

Capa
Antonio Kehl
sobre retrato Angela Davis *(2013), de Edgar Garcia*

Equipe de apoio
*Ana Yumi Kajiki, Artur Renzo, Bibiana Leme, Elaine Ramos,
Fernanda Fantinel, Francisco dos Santos, Kim Doria, Marlene Baptista,
Maurício Barbosa, Nanda Coelho e Renato Soares*

CIP-BRASIL. CATALOGAÇÃO NA FONTE
SINDICATO NACIONAL DOS EDITORES DE LIVROS, RJ

M577t

Miguel, Luis Felipe
    Feminismo e política : uma introdução / Luis Felipe Miguel , Flávia Biroli. -
1. ed. - São Paulo : Boitempo, 2014.

Inclui bibliografia
ISBN 978-85-7559-396-7

1. Feminismo. 2. Mulheres condições sociais. 3. Direito das mulheres. I. Título.

14-15554
                                    CDD: 305.42
                                    CDU: 330.85(09)

É vedada a reprodução de qualquer parte
deste livro sem a expressa autorização da editora.

1ª edição: novembro de 2014;
1ª reimpressão: março de 2015; 2ª reimpressão: julho de 2015;
3ª reimpressão: maio de 2016; 4ª reimpressão: janeiro de 2017;
5ª reimpressão: outubro de 2017; 6ª reimpressão: julho de 2018;
7ª reimpressão: julho de 2019; 8ª reimpressão: outubro de 2020

BOITEMPO
Jinkings Editores Associados Ltda.
Rua Pereira Leite, 373
05442-000 São Paulo SP
Tel.: (11) 3875-7250 / 3875-7285
editor@boitempoeditorial.com.br | www.boitempoeditorial.com.br
www.blogdaboitempo.com.br | www.facebook.com/boitempo
www.twitter.com/editoraboitempo | www.youtube.com/tvboitempo

SUMÁRIO

Introdução *7*
Flávia Biroli e Luis Felipe Miguel

1. O feminismo e a política *17*
Luis Felipe Miguel

2. O público e o privado *31*
Flávia Biroli

3. Justiça e família *47*
Flávia Biroli

4. A igualdade e a diferença *63*
Luis Felipe Miguel

5. A identidade e a diferença *79*
Luis Felipe Miguel

6. Gênero e representação política *93*
Luis Felipe Miguel

7. Autonomia, dominação e opressão *109*
Flávia Biroli

8. O debate sobre aborto *123*
Flávia Biroli

9. O debate sobre pornografia *131*
Flávia Biroli

10. O debate sobre prostituição *139*
Luis Felipe Miguel

Conclusão. A política do feminismo *147*
Luis Felipe Miguel e Flávia Biroli

Bibliografia *153*

Sobre os autores *163*

INTRODUÇÃO

. . . .

Flávia Biroli e Luis Felipe Miguel

A teoria política feminista é uma corrente profundamente plural e diversificada, que investiga a organização social tendo como ponto de partida as desigualdades de gênero. Com essa análise, evidenciam-se alguns dos limites mais importantes das instituições vigentes, que, a despeito de suas pretensões democráticas e igualitárias, naturalizam e reproduzem assimetrias e relações de dominação. Evidenciam-se também limites das teorias políticas tradicionais, que tendem a aceitar sem questionamento a distinção entre a esfera pública e a esfera privada e que são cegas à relevância política da desigualdade de gênero.

Em certo sentido, toda teoria feminista é "política", na medida em que é fundante, no feminismo, a compreensão de que os limites convencionais da política são insuficientes para apreender sua dinâmica real. Assim, a história, a sociologia, a antropologia ou a psicologia feministas têm inegável caráter político. Nosso recorte para a "teoria política feminista" não é a filiação disciplinar de suas autoras (ou eventuais autores), mas as contribuições que dialogam de forma mais direta com os grandes temas do pensamento político, deslocando-os pela introdução, com centralidade, da categoria "gênero".

Este livro apresenta e discute, assim, as principais contribuições feministas para o debate na teoria política, privilegiando as discussões que surgiram a partir dos anos 1980. De lá para cá, um rico debate ocorreu internacionalmente, definindo uma agenda mais ampla – nas discussões teóricas e também na prática política – para o feminismo. Ou talvez seja melhor dizer *feminismos*, uma vez que a pluralidade de abordagens é uma das características que este livro busca respeitar. No debate internacional, ganham proeminência as autoras de língua inglesa, o que expressa a atual hegemonia anglo-saxá na mídia, no mercado editorial e no ambiente acadêmico, mas também são visíveis contribuições distintas de feminismos como o francês, o italiano e o latino-americano.

Há, nesse corpo teórico, um esforço para compreender permanências num processo histórico em que os direitos foram, de fato, ampliados. As explicações para a convivência entre o aumento da participação das mulheres em diversas arenas da sociedade e a persistência de limites à igualdade de oportunidades – para não falar numa igualdade mais substantiva no acesso a recursos e nas formas de participação – levaram à redefinição de problemas e prioridades na análise das democracias e nos debates contemporâneos sobre justiça.

Vale observar que o feminismo não se debruça sobre uma questão "localizada". As relações de gênero atravessam toda a sociedade, e seus sentidos e seus efeitos não estão restritos às mulheres. O gênero é, assim, um dos eixos centrais que organizam nossas experiências no mundo social. Onde há desigualdades que atendem a padrões de gênero, ficam definidas também as posições relativas de mulheres e de homens – ainda que o gênero não o faça isoladamente, mas numa vinculação significativa com classe, raça e sexualidade.

As lutas feministas tiveram diferentes expressões, heterogêneas como o próprio feminismo. A relação entre essas lutas e o feminismo teórico é fundamental, produzindo debates em que as fronteiras entre a luta política e a atividade intelectual e acadêmica são, em geral, mais porosas do que nas correntes predominantes da teoria política. Nas lutas pelo voto feminino e pelo acesso das mulheres à educação, assim como na exigência de direitos iguais no casamento e do direito ao divórcio, do direito das mulheres à integridade física e a controlar sua capacidade reprodutiva, o feminismo pressionou os limites da ordem estabelecida, é claro, mas também das formas de pensar o mundo que a legitimavam.

No processo de suas próprias lutas, o feminismo foi capaz de transformar sua agenda e também sua reflexão sobre o mundo social. Para as sufragistas estadunidenses do século XIX, por exemplo, a conquista do voto "seria o Milênio para as mulheres", como observou acidamente Angela Davis[1]. A pífia presença feminina nos espaços de poder após a obtenção desse direito indicou a necessidade de identificar os mecanismos de exclusão mais profundos, além da restrição consignada em lei. O mesmo se pode dizer das reformas dos códigos civis ou do acesso à educação. Cada vez mais, em vez da incorporação das mulheres à ordem existente, tornava-se clara a necessidade de uma transformação profunda dessa ordem.

---

[1] Angela Y. Davis, *Women, race & class* (Nova York, Vintage, 1983). A edição original é de 1981.

Em muitas das frentes das lutas feministas, a exigência foi a cidadania igual para mulheres e homens. Mas o deciframento do sentido dessa igualdade implicava ir além da isonomia legal e inquirir as condições reais de existência delas e deles, questionando premissas básicas das hierarquias sociais e do funcionamento das instituições. A crítica ao indivíduo "abstrato" do pensamento liberal, aquele que é igual a todos os outros, independentemente de suas circunstâncias concretas, é recorrente na elaboração teórica vinculada às demandas por emancipação dos grupos dominados. É também o caso do feminismo, que mantém, desse modo, uma relação tensa com o liberalismo e os direitos que se definem a partir das premissas dele.

Nas correntes mais próximas do socialismo e do marxismo, o feminismo tematizou, ao mesmo tempo, as relações de gênero e a estrutura de classes das sociedades contemporâneas. Isso significou um debate sistemático com outros movimentos políticos e correntes teóricas, numa reinterpretação da prioridade das desigualdades de gênero e dos interesses das mulheres nas estratégias políticas, nas análises e, de modo amplo, nos ideais e nos referenciais normativos que orientam os combates por justiça social. A luta feminista foi e, segundo acreditamos, deve ser também por transformações que levem a sociedades mais justas do ponto de vista de suas estruturas econômicas, sem perder de vista as especificidades de gênero. O feminismo negro permitiu avançar na compreensão dos mecanismos de reprodução das desigualdades justamente ao exigir que a igualdade de oportunidades entre mulheres e homens não correspondesse a um silêncio sobre as mulheres que compartilham, com os homens que estão na base da pirâmide social, as desvantagens decorrentes de sua posição de raça e de classe.

No Brasil, país marcado por desigualdades profundas, onde é patente a concentração no acesso a recursos e à efetiva influência política, a posição das mulheres se modificou ao longo das últimas décadas. É algo visível, por exemplo, no ensino superior e no mercado de trabalho. Se as mulheres pobres estiveram desde sempre integradas ao mundo do trabalho, ainda que quase sempre em condições precárias, há um número cada vez maior de mulheres em atividades profissionais nos patamares mais altos de remuneração e reconhecimento social. E, na segunda metade do século XX, inverteu-se a tendência que fazia com que elas tivessem menos escolaridade do que os homens.

Em 2001, 12,1% das mulheres tinham mais de dez anos de estudo, em comparação a 9,7% dos homens; em 2008 esses números chegavam a 17,3%

no caso das mulheres e a 14,3% no dos homens[2]. Ou seja, a vantagem em favor das mulheres continuou se ampliando. Entre as matrículas no ensino superior, em 2009, quase 60% eram de pessoas do sexo feminino. Os mesmos dados, no entanto, revelam outros aspectos das desigualdades no Brasil. A taxa de escolarização no ensino superior entre as mulheres brancas era, então, de 23,8%, mas entre as mulheres negras permanecia abaixo dos 10%[3]. Em suma, há algumas mulheres que têm acesso ao ensino superior e a carreiras profissionais, mas essa é uma posição bastante distinta daquela da maioria delas.

Quando se observa o rendimento de mulheres e homens, os filtros no acesso a esferas e oportunidades são expostos de modo semelhante – e as desigualdades específicas de gênero se tornam mais aparentes. Tempo de estudo não tem correspondido a posições melhores nem equânimes para as mulheres no mercado de trabalho, comparativamente aos homens. A taxa de ocupação entre as mulheres, que era de 45,2% em 2002, chegou a 49,2% em 2013, mas permanece mais de quinze pontos abaixo da dos homens. O rendimento mensal médio dos trabalhadores homens é, por sua vez, quase o dobro do das mulheres – em 2012, a média do rendimento deles foi de 1.430 reais, enquanto a delas foi de 824 reais. Há quase três vezes mais mulheres do que homens entre quem ganha até meio salário mínimo, mas há crescentemente menos mulheres nas faixas de renda a partir de dois salários mínimos, e essa proporção se inverte quando se chega ao topo da pirâmide. Nos estratos com rendimento maior do que vinte salários mínimos, há quase três vezes mais homens do que mulheres[4]. A renda também oscila segundo o sexo e a cor dos indivíduos. Nos dois extremos estão a renda média dos homens brancos e a das mulheres negras – a dos primeiros é quase três vezes maior que a das últimas. Mas a renda expressa também as desigualdades entre as mulheres – a renda média das mulheres negras é 44% menor que a das mulheres brancas[5].

---

[2] Os dados podem ser conferidos nas "Séries estatísticas e séries históricas" do IBGE, disponível em: <http://seriesestatisticas.ibge.gov.br/lista_tema.aspx?op=0&no=6>; acessado em: 11 out. 2013.

[3] IPEA, *Retrato das desigualdades de gênero e raça* (Brasília, Ipea, ONU Mulheres, SPM, Seppir, 2011), p. 21.

[4] IBGE, *Pesquisa nacional por amostra de domicílios 2012: síntese de indicadores* (Rio de Janeiro, IBGE, 2013).

[5] IPEA, *Retrato das desigualdades de gênero e raça*, cit., p. 35.

Não se trata só da remuneração. Em muitos locais de trabalho, as mulheres são expostas cotidianamente a pressões e constrangimentos que não fazem parte da vivência dos homens, do assédio sexual às exigências contraditórias de incorporar tanto o profissionalismo quanto uma "feminilidade" que é construída como sendo o oposto. Em conjunto, a vigência dos estereótipos, as estruturas de autoridade ainda dominadas pelos homens e as múltiplas responsabilidades adicionais, que são típicas da condição feminina nas sociedades marcadas pelo sexismo, tornam a experiência do trabalho assalariado mais penosa para as mulheres do que para os homens, o que, de formas diferentes, ocorre em todos os níveis da hierarquia de ocupações.

Além de expor a posição relativa dos indivíduos no acesso a recursos e oportunidades, essas desigualdades são indicativas da vulnerabilidade maior das mulheres e daqueles que delas dependem, sobretudo quando os arranjos familiares se distanciam do padrão convencional. Em 1981, 17% das famílias eram chefiadas por mulheres; em 2009 esse percentual havia dobrado, chegando a 35,2%[6]. Mas a renda *per capita* média nas famílias chefiadas por mulheres, sobretudo por mulheres negras, é bastante inferior à das famílias chefiadas por homens. Em 69% das famílias chefiadas por mulheres negras, essa renda é menor que um salário mínimo, índice que cai para 41% no caso das famílias chefiadas por homens brancos[7]. As mudanças nos arranjos familiares podem ser expressivas de redefinições nas relações de gênero, com deslocamentos nos papéis convencionais, em que a domesticidade feminina corresponderia à posição do homem como provedor. Coexistem, no entanto, com a permanência do machismo, com a ausência de políticas públicas adequadas para reduzir a vulnerabilidade relativa das mulheres e, justamente por isso, com uma dinâmica em que elas acumulam desvantagens em comparação aos homens.

A falta de creches e de políticas adequadas para a conciliação entre a rotina de trabalho e o cuidado com filhos pequenos penaliza as mulheres, muito mais do que os homens, em sociedades nas quais a divisão dos papéis permanece atada a compreensões convencionais do feminino e do masculino. As mulheres continuam a ter a responsabilidade exclusiva ou principal na criação dos filhos e no trabalho em casa. Além disso, a violência doméstica e sexual se mantém

---

[6] Os dados podem ser conferidos nas "Séries estatísticas e séries históricas" do IBGE, cit.

[7] IPEA, *Retrato das desigualdades de gênero e raça*, cit., p. 35.

em patamares significativos, a despeito dos avanços na legislação e da maior efetividade na punição aos agressores – mulheres continuam sendo mortas por serem mulheres, em sua maioria por companheiros ou ex-companheiros, chegando a aproximadamente 5 mil mortes por ano no Brasil, considerado o período entre 2001 e 2011. Embora essas dimensões da realidade tenham enorme impacto nas oportunidades dos indivíduos e mesmo na vida que imaginam e buscam para si, sobretudo nas camadas mais pobres da população, não são temas que estejam recebendo a atenção da ampla maioria das abordagens na teoria política. A esfera privada e, sobretudo, o âmbito das relações familiares, afetivas e domésticas, não existem ou não são construídos como variável política relevante para a maior parte das correntes e dos estudos.

O impacto dessa divisão desigual do trabalho e do usufruto do tempo – o tempo semanal dedicado pelas mulheres ao trabalho doméstico no Brasil seria, segundo pesquisas recentes, 150% maior que o tempo dedicado pelos homens[8] – se desdobra em injustiça distributiva e barreiras à igualdade nas oportunidades, como já foi dito. E há mais nesse caldo. Deixando para trás os estereótipos que definiam as mulheres como menos interessadas na política, é preciso considerar essas desigualdades para compreender por que elas continuam sub-representadas, como grupo, em todos os âmbitos da política brasileira.

A eleição de uma mulher para a Presidência da República em 2010 tem efeito simbólico – ainda que não exista, por ora, qualquer avanço específico na agenda feminista que tenha derivado dela. O percentual de cadeiras ocupadas por mulheres na Câmara dos Deputados permanece inferior a 10%. Na política local, a situação não é melhor – as mulheres ocupam cerca de 12% das cadeiras nas Câmaras de Vereadores e não ultrapassam os 10% no cargo de prefeitas. Na cobertura dos meios de comunicação, em que visibilidade, atribuição de competência política e adesão potencial dos eleitores podem andar juntas e fazer diferença na construção de uma carreira política, as mulheres são poucas e sua imagem ainda se mantém ligada aos estereótipos de gênero convencionais[9]. A complexidade da composição do grupo mulheres, tópico discutido pelas teorias feministas e bastante presente neste livro, não apaga um fato: a decisão sobre leis e políticas que afetam diretamente as mulheres é feita no Brasil, ainda hoje

---

[8]   Ibidem, p. 36-7.

[9]   Luis Felipe Miguel e Flávia Biroli, *Caleidoscópio convexo: mulheres, política e mídia* (São Paulo, Editora Unesp, 2011).

e como foi ao longo de toda a nossa história, por homens. O sentido dessa discrepância entre influência política e presença na sociedade – as mulheres são, afinal, pouco mais de 50% da população – é um tema prioritário para a teoria política feminista.

De que modo o machismo, ou o patriarcado como forma de organização das relações sociais, numa expressão que será retomada de maneira mais precisa neste livro, reduz as oportunidades de participação social das mulheres? Quais mecanismos sociais limitam a participação delas nas esferas públicas, fazendo com que mais de oitenta anos depois da conquista do sufrágio feminino elas permaneçam marginais na política? Como a divisão sexual do trabalho e os estereótipos do feminino e do masculino que ela mobiliza marcam a socialização das crianças, colaborando para um futuro desigual da perspectiva do gênero? E em que dimensões da vida as mulheres permanecem como menos do que cidadãs, tendo sua autonomia restrita e, em alguns casos, sendo ainda definidas como meios para a satisfação masculina? Como, enfim, as desigualdades de gênero se realizam em conexões complexas com as de classe e de raça, compondo injustiças que obstruem a construção de sociedades mais democráticas e igualitárias?

As respostas a questões como essas são discutidas e disputadas nos debates teóricos no feminismo, como se verá em todos os capítulos deste livro. São, por outro lado, ainda hoje, e a despeito das críticas e do impacto das abordagens feministas, questões ausentes ou marginais nas correntes hegemônicas da teoria política. Teorias da democracia, teorias da justiça, teorias que estariam centradas na problemática da liberdade e da autonomia dos indivíduos passam ao largo dessas questões quando silenciam sobre o impacto do gênero na posição social dos indivíduos e sobre a relação estreita entre as hierarquias em diferentes esferas da vida. O silêncio sobre o impacto casado das relações de poder no mundo doméstico, no mundo do trabalho e no mundo da política é particularmente "produtivo", isto é, define o limite para muitas reflexões e as coloca numa posição em que acabam por justificar as coisas como elas são.

A reflexão crítica sobre a dualidade entre a esfera pública e a esfera privada, ponto de partida comum às abordagens feministas na teoria política, colabora justamente para a problematização desses entrelaçamentos. Expõe as relações de poder em dimensões da vida cotidiana que não estão no escopo das reflexões de boa parte da teoria política, o que é fundamental à própria definição do político no feminismo. Mas não se trata simplesmente de incluir mais aspectos da vida, ou mais problemas, no rol daqueles que são considerados políticos. As definições da política no feminismo modificam, potencialmente, as prioridades no debate público. Colaboram para expor também os limites da universalidade – como posição "neutra" a partir da qual se definiriam a relevância e o grau de interesse público dos diferentes temas e questões. A universalidade é colocada em xeque, sobretudo como base para a definição dos direitos dos indivíduos. As visões que se consolidam a partir da posição parcial das mulheres tornam patente o fato de que as posições hegemônicas são também perspectivas e posicionadas, mas foram, a partir da experiência masculina (e não de qualquer homem, mas dos homens brancos e proprietários), amplamente traduzidas como "humanas" e "cidadãs". Aparecem, assim, desprovidas de marcas de gênero, de classe, de pertencimento num sentido mais amplo.

A crítica feminista ganha radicalidade e força quando as abordagens são capazes de incorporar nessa problematização o fato de que as relações de gênero impactam as experiências, mas o exercício do poder – assim como as formas de dominação e de exploração – se dá também internamente ao grupo "mulheres". Uma democracia igualitária depende, portanto, do enfrentamento daquilo que faz rodar as engrenagens do gênero, mas também as de classe e de raça. Por isso, nos debates presentes neste livro, a definição de quais são as desigualdades relevantes e das formas para o seu enfrentamento é, ela mesma, um tópico central.

Sem pretender fazer um inventário exaustivo ou uma análise em profundidade da presença do feminismo na área, os capítulos que se seguem discutem algumas das questões geradas ou reconstruídas pela teoria feminista, que hoje não podem ser ignoradas por nenhuma reflexão séria sobre a política: a distinção entre as esferas pública e privada, a vinculação entre a estrutura familiar e a justiça social, a relação entre igualdade e diferença, o conceito de identidade, o sentido da representação política, o valor da autonomia. Também são discutidos três problemas mais específicos, que encontram centralidade na agenda dos movimentos de mulheres e cuja relevância a teoria feminista busca demonstrar. Na luta pelo direito ao aborto e nas polêmicas sobre a legitimidade da pornografia e do exercício da prostituição, estão presentes debates sobre a cidadania, as liberdades, a autonomia individual e a relação entre indivíduo e sociedade, que fazem com que as respostas que damos a cada uma dessas questões tenham impacto profundo no entendimento de quais valores políticos e sociais estamos promovendo.

* * *

Este livro resulta das pesquisas e das publicações de seus autores na área de gênero e política nos últimos anos. É fruto, mais diretamente, de duas coletâneas de textos feministas que organizamos[10]. Escrevendo as introduções das duas obras, percebemos a necessidade de uma introdução, ao mesmo tempo ampla e acessível, à teoria política feminista. As duas coletâneas, por sua vez, foram respostas a carências que sentimos quando ministramos em conjunto a disciplina Gênero e Política, no programa de pós-graduação em ciência política da Universidade de Brasília, em 2009. Os capítulos que se seguem buscam preencher essa lacuna, discutindo um leque variado de abordagens que definiram o debate feminista a partir das últimas décadas do século XX.

O objetivo é fornecer um panorama da teoria política feminista, focando suas principais contribuições e seus maiores debates internos. Pretendemos oferecer uma visão de diferentes vertentes do feminismo, por vezes até bastante contrastantes, o que não significa que os capítulos não assumam posição. Os capítulos são assinados individualmente, o que permitiu acomodar eventuais diferenças de ênfase e de estilo, mas todos eles foram extensamente discutidos pelos dois autores, antes e durante o processo de redação.

Enfrentamos, neste livro, o problema do uso dos gêneros feminino e masculino. Temos consciência de que a língua contribui para produzir a naturalidade com que o masculino é entendido como sendo o genérico da humanidade, o que leva a esforços no sentido de encontrar alternativas mais neutras de expressão. No caso do português, esse esforço é muito trabalhoso, uma vez que é difícil produzir uma sentença sem que as marcas de gênero estejam presentes. Para evitar maior artificialidade no texto, com o consequente custo para o leitor (e leitora), optamos por seguir a regra gramatical padrão, com a esperança de que essa capitulação diante da língua não implique menor ânimo para mudar a sociedade.

Os autores agradecem aos integrantes do Grupo de Pesquisa sobre Democracia e Desigualdades da Universidade de Brasília (Demodê), interlocutores constantes das discussões que atravessam este livro, especialmente aos colegas Danusa Marques e Carlos Machado. Também às alunas e aos alunos de graduação e pós-graduação participantes dos projetos de pesquisa Desigualdades

---

[10] Flávia Biroli e Luis Felipe Miguel (orgs.). *Teoria política e feminismo: abordagens brasileiras* (Vinhedo, Horizonte, 2012); Luis Felipe Miguel e Flávia Biroli (orgs.), *Teoria política feminista: textos centrais* (Vinhedo/Niterói, Horizonte/Eduff, 2013).

e democracia: as perspectivas da teoria política e Direito ao aborto e sentidos da maternidade, com quem partes do livro foram debatidas. Por fim, agradecem a Regina Dalcastagnè, pela leitura prévia de todo o original.

1
O FEMINISMO E A POLÍTICA

Luis Felipe Miguel

A desigualdade entre homens e mulheres é um traço presente na maioria das sociedades, se não em todas. Na maior parte da história, essa desigualdade não foi camuflada nem escamoteada; pelo contrário, foi assumida como um reflexo da natureza diferenciada dos dois sexos e necessária para a sobrevivência e o progresso da espécie. Ao recusar essa compreensão, ao denunciar a situação das mulheres como efeito de padrões de opressão, o pensamento feminista caminhou para uma crítica ampla do mundo social, que reproduz assimetrias e impede a ação autônoma de muitos de seus integrantes.

Por isso, na teoria política produzida nas últimas décadas, a contribuição do feminismo se mostrou crucial. O debate sobre a dominação masculina nas sociedades contemporâneas – ou o "patriarcado", como preferem algumas – abriu portas para tematizar, questionar e complexificar as categorias centrais por meio das quais era pensado o universo da política, tais como as noções de indivíduo, de espaço público, de autonomia, de igualdade, de justiça ou de democracia. Não é mais possível discutir a teoria política ignorando ou relegando às margens a teoria feminista, que, nesse sentido, é um pensamento que parte das questões de gênero, mas vai além delas, reorientando todos os nossos valores e critérios de análise.

Como corrente intelectual, o feminismo, em suas várias vertentes, combina a militância pela igualdade de gênero com a investigação relativa às causas e aos mecanismos de reprodução da dominação masculina. Pertence, portanto, à mesma linhagem do pensamento socialista, em que o ímpeto para mudar o mundo está sempre colado à necessidade de interpretá-lo. Embora um certo senso comum, muito vivo no discurso jornalístico, apresente a plataforma feminista como "superada", uma vez que as mulheres obtiveram acesso a educação, direitos políticos, igualdade formal no casamento e uma presença maior e mais diversificada no mercado de trabalho, as evidências da permanência da dominação masculina são abundantes. Em cada uma destas esferas – educação, política, lar e trabalho – foram obtidos avanços, decerto, mas permanecem em ação mecanismos que produzem desigualdades que sempre operam para a desvantagem das mulheres. Formas mais complexas de dominação exigem ferramentas mais sofisticadas para entendê-las; nesse processo, o pensamento feminista tornou-se o que é hoje: um corpo altamente elaborado de teorias e reflexões sobre o mundo social. O desafio de compreender a reprodução das desigualdades de gênero em contextos nos quais, em larga medida, prevalecem direitos formalmente iguais levou a reflexões e propostas que deslocam os entendimentos predominantes na teoria política.

PATRIARCADO OU DOMINAÇÃO MASCULINA?

O uso do termo "patriarcado" é controverso dentro da própria teoria feminista. Para algumas autoras, trata-se do conceito capaz de "capturar a profundidade, penetração ampla (*pervasiveness*) e interconectividade dos diferentes aspectos da subordinação das mulheres"[1]. De maneira similar, Carole Pateman julga ser necessário dar um nome unificador às múltiplas facetas da dominação masculina. "Se o problema não tem nome, o patriarcado pode facilmente deslizar de novo para a obscuridade, sob as categorias convencionais da análise política."[2]

Para outras percepções dentro do próprio feminismo, porém, o patriarcado é entendido como sendo apenas uma das manifestações históricas da dominação masculina. Ele corresponde a uma forma específica de organização política, vinculada ao absolutismo, bem diferente das sociedades democráticas concorrenciais atuais[3]. Os arranjos matrimoniais contemporâneos também não se ajustam ao figurino do patriarcado, sendo mais entendidos como uma "parceria desigual"[4], marcada pela vulnerabilidade

---

[1] Sylvia Walby, *Theorizing patriarchy* (Oxford, Basil Blackwell, 1990), p. 2.

[2] Carole Pateman, *The sexual contract* (Stanford, Stanford University Press, 1988), p. 20.

[3] Jean Bethke Elshtain, *Public man, private woman: women in social and political thought* (2. ed., Princeton, Princeton University Press, 1993), p. 215. A edição original é de 1981.

[4] Nancy Fraser, *Justice interruptus: critical reflections on the "postsocialist" condition* (Nova York, Routledge, 1997), p. 229.

> maior das mulheres[5]. Em suma, instituições patriarcais foram transformadas, mas a dominação masculina permanece. Parte importante dessa transformação é a substituição de relações de subordinação direta de uma mulher a um homem, próprias do patriarcado histórico, por estruturas impessoais de atribuição de vantagens e oportunidades[6]. Falar em *dominação masculina*, portanto, seria mais correto e alcançaria um fenômeno mais geral que o patriarcado.

A denúncia da dominação masculina ou a afirmação da igualdade intelectual e moral das mulheres atravessam os séculos – é possível buscá-las na Grécia antiga, em figuras como Safo ou mesmo Hipátia. Na Idade Média, é importante a obra de Cristina de Pizán (1364-1430), que dedicou vários volumes às mulheres, argumentando que as diferenças físicas são desimportantes ante a igualdade da alma, criada idêntica, por Deus, para eles e para elas. A aparente inferioridade feminina era resultado não de uma natureza diferenciada, mas das condições sociais. As mulheres sabem menos

> sem dúvida porque não têm, como os homens, a experiência de tantas coisas distintas, mas se limitam aos cuidados do lar, ficam em casa, ao passo que não há nada tão instrutivo para um ser dotado de razão como exercitar-se e experimentar coisas variadas.[7]

Essa extraordinária afirmação coloca Pizán na fronteira de uma reflexão efetivamente feminista. Um pensamento, para se caracterizar como feminista, não se limita à afirmação literária da igualdade de talentos ou de valor entre mulheres e homens nem à reivindicação política da extensão dos direitos individuais a toda a espécie humana. O feminismo se definiu pela construção de uma crítica que vincula a submissão da mulher na esfera doméstica à sua exclusão da esfera pública. Assim, no mundo ocidental, o feminismo como movimento

---

[5]   Susan Moller Okin, *Justice, gender, and the family* (Nova York, Basic Books, 1989), p. 138-9.

[6]   Nancy Fraser, *Justice interruptus*, cit., p. 234-5.

[7]   Cristina de Pizán, *La ciudad de las damas* (2. ed., Madri, Siruela, 2000), p. 119. A obra é de 1405.

político e intelectual surge na virada do século XVIII para o século XIX e pode ser considerado um filho indesejado da Revolução Francesa.

Embora tenha havido exceções, sendo Condorcet o nome mais famoso entre elas, a esmagadora maioria dos revolucionários franceses manifestava desinteresse, quando não hostilidade, pelos direitos da mulher[8]. Seguiam a trilha de Rousseau, maior inspiração filosófica para a Revolução, para quem a liberdade dos homens não incluía as mulheres, destinadas "naturalmente" ao enclausuramento na esfera doméstica. Às margens do debate na Constituinte, surgiram demandas pelo acesso das mulheres aos direitos políticos, expressas pela Sociedade das Republicanas Revolucionárias, de Claire Lacombe (1765-?) e Pauline Léon (1768-1838), ou isoladamente, por mulheres que rompiam barreiras, como Théroigne de Méricourt (1762-1817) e Olympe de Gouges (1748-1793).

O documento escrito mais importante é a "Declaração dos direitos da mulher e da cidadã", de Gouges[9]. É a transcrição da "Declaração dos direitos do homem e do cidadão" para o feminino, com alguns acréscimos significativos. Assim, o artigo X, que estabelece a liberdade de opinião, é redigido por Gouges como uma garantia de que, já que pode subir ao cadafalso, a mulher pode igualmente subir à tribuna. O artigo XI, sobre a liberdade de expressão, ganha a especificação de que toda mulher pode indicar o nome do pai de seus filhos, mesmo que, para tal, afronte os preconceitos. E, em particular, ela incluiu uma peroração final, conclamando as mulheres a romper com as ideias da época e a exigir seus direitos.

Mas o esforço de Gouges ainda não alcança a elaboração sistemática de um entendimento das raízes da opressão sofrida pelas mulheres[10]. Esse resultado será obtido, na mesma época, na Inglaterra, por Mary Wollstonecraft (1759-1797), que é geralmente considerada – por boas razões – a fundadora do feminismo. Sua obra mais importante, *Uma vindicação dos direitos da mulher*, foi publicada

---

[8] Conforme bem demonstra uma coletânea de discursos e escritos da época, Elisabeth Badinter (org.), *Palavras de homens (1790-1793)* (Rio de Janeiro, Nova Fronteira, 1991). A edição original é de 1989.

[9] Olympe de Gouges, "Déclaration des droits de la femme et de la citoyenne" (1791), disponível em: <http://www.histoire-en-ligne.com/spip.php?article154>; acessado em: 16 set. 2012.

[10] Uma leitura mais positiva do significado da obra (e da vida) de Gouges é feita por Joan W. Scott, *A cidadã paradoxal: as feministas francesas e os direitos do homem* (Florianópolis, Mulheres, 2002), cap. 2. A edição original é de 1996.

em 1792 e sofreu, também, o influxo da Revolução Francesa[11]. A autora havia publicado, dois anos antes, *Uma vindicação dos direitos do homem*, como resposta às *Considerações sobre a revolução em França*, obra antirrevolucionária de Edmund Burke. Portanto, foi também a promessa de emancipação dos homens, pelos republicanos franceses, que levou Wollstonecraft a sistematizar suas reflexões sobre a necessidade *de* e os obstáculos *para* a emancipação das mulheres. "O direito divino dos maridos, tal como o direito divino dos reis, pode, espera-se, nesta era esclarecida, ser contestado sem perigo."[12]

O programa dessa primeira fase do feminismo tinha como eixos a educação das mulheres, o direito ao voto e a igualdade no casamento, em particular o direito das mulheres casadas a dispor de suas propriedades. Ao colocar, com clareza exemplar, o problema em termos de *direitos*, Wollstonecraft promove uma inflexão na direção da construção de uma teoria política feminista. Ela é também uma autora singular pela maneira como, ao tratar dessas questões (com o foco voltado particularmente para a primeira delas), combina a adesão (quase inevitável) às ideias dominantes da época com elementos de inusual radicalidade.

É assim, por exemplo, que a demanda por educação tem por objetivo exclusivo permitir o livre desenvolvimento da mulher como ser racional, fortalecendo a virtude por meio do exercício da razão e tornando-a plenamente independente[13]. Não há nenhuma concessão ao argumento da "produção de uma companheira melhor para o homem", que, no entanto, foi comum no feminismo do século XIX. Um autor como John Stuart Mill (1806-1873), a despeito de sua defesa veemente da igualdade de direitos, continuava julgando que

---

[11] O nome de Wollstonecraft está associado ao início da reflexão feminista no Brasil. Nísia Floresta publicou, em 1832, *Direitos das mulheres e injustiça dos homens* (São Paulo, Cortez, 1989) como se fosse uma tradução de *Uma vindicação dos direitos da mulher*, mas são obras muito diversas. A pesquisadora Maria Garcia Palhares-Burke revelou que ela na verdade traduziu o livro *Woman not inferior to man*, décadas anterior a Wollstonecraft, assinado pelo pseudônimo "Sophie, *a Person of Quality*" (por sua vez, um plágio do escritor francês François Poullain de la Barre, do século XVII), e atribuiu a autoria a Wollstonecraft, já então conhecida mundialmente, para ampliar sua divulgação.

[12] Mary Wollstonecraft, *A vindication of the rights of woman: with strictures on political and moral subjects* (Nova York, The Modern Library, 2001), p. 24 (ênfase suprimida). A edição original é de 1792.

[13] Ibidem, p. 14.

a maior ocupação da mulher deve ser *embelezar* a vida: cultivar, em seu próprio benefício e daqueles que a rodeiam, todas as suas faculdades de mente, alma e corpo.[14]

Nada mais longe da posição de Wollstonecraft.

O chamado "feminismo liberal", que nasceu no século XVIII, desenvolveu-se ao longo do século XIX e teve exatamente Wollstonecraft e Stuart Mill como principais expoentes, é acusado com frequência de possuir um marcado viés de classe. De fato, Stuart Mill afirmava, por exemplo, que cuidar da casa não é uma verdadeira ocupação, pois "não significa nada mais do que comprovar que os criados cumpram seu dever"[15]. Mas é necessário cuidado antes de estender esse veredito a todo o feminismo anterior ao século XX, sem o matizar. Um paralelo entre a ausência de representação política das mulheres e dos operários já aparece na própria Wollstonecraft[16]. Nos Estados Unidos, líderes sufragistas como Elizabeth Cady Stanton (1815-1902) e Susan B. Anthony (1820-1906) eram também destacadas advogadas da abolição da escravatura[17]. O paralelo entre a escravidão negra e a escravidão feminina era comum entre escritoras dos dois lados do Atlântico, sendo desenvolvido, por exemplo, por Harriet Taylor Mill (1807-1858), em seu libelo pelo voto das mulheres[18].

É evidente que as determinações sobrepostas das desigualdades de gênero, classe e raça não aparecem no feminismo do século XVIII e XIX da forma como foram desenvolvidas por parte das feministas posteriores. O próprio paralelo entre a situação das mulheres e dos escravos revela que as *escravas* não participavam do coletivo em nome do qual as sufragistas falavam[19]. Mas uma feminista de trajetória invulgar como Sojourner Truth (c. 1797-1883), que foi escrava e empregada doméstica antes de se tornar oradora política, mostra que,

---

[14] John Stuart Mill, "Primeros ensayos sobre matrimonio y divorcio: ensayo de John Stuart Mill", em John Stuart Mill e Harriet Taylor Mill, *Ensayos sobre la igualdad sexual* (Madri, Cátedra; Valência, Universitat de València, 2001), p. 106. O ensaio é do início da década de 1830.

[15] Ibidem, p. 105.

[16] Mary Wollstonecraft, *A vindication of the rights of woman*, cit., p. 148.

[17] Ainda que Stanton, por exemplo, não deixasse de afirmar a superioridade das mulheres (anglo-saxãs) diante das "ordens inferiores de chineses, africanos, alemães e irlandeses" (citado em Elizabeth V. Spelman, *Inessential woman: problems of exclusion in feminist thought*, Boston, Beacon, 1988, p. 8).

[18] Harriet Taylor Mill, "La concesión del derecho de voto a las mujeres", em John Stuart Mill e Harriet Taylor Mill, *Ensayos sobre la igualdad sexual*, cit., p. 122. O ensaio é de 1851.

[19] Elisabeth V. Spelman, *Inessential woman*, cit.

se não era produzida uma reflexão aprofundada, ao menos havia, em parte do movimento de mulheres da época, uma sensibilidade para entender a condição feminina de forma bem mais complexa. Ela observou, em seu famoso discurso "Ain't I a woman?":

> Aquele homem diz que as mulheres precisam ser ajudadas a entrar em carruagens, erguidas para passar sobre valas e receber os melhores lugares em todas as partes. Ninguém nunca me ajudou a entrar em carruagens, a passar por cima de poças de lama nem me deu qualquer bom lugar! E eu não sou uma mulher? Olhem pra mim! Olhem pro meu braço! Tenho arado e plantado e recolhido em celeiros, e nenhum homem poderia me liderar! E eu não sou uma mulher? Posso trabalhar tanto quanto e comer tanto quanto um homem – quando consigo o que comer – e aguentar o chicote também! E eu não sou uma mulher? Dei à luz treze filhos e vi a grande maioria ser vendida para a escravidão, e quando eu chorei com minha dor de mãe, ninguém, exceto Jesus, me ouviu! E eu não sou uma mulher?[20]

Por outro lado, o século XIX viu também o surgimento de um feminismo socialista que, por conta da radicalidade de suas propostas, ficou à margem das correntes dominantes do sufragismo. Flora Tristan (1803-1844), figura pública e escritora influente em sua época, fez da situação da mulher trabalhadora um dos eixos centrais de seu tratado socialista utópico sobre a união operária, vinculando opressão de classe e de gênero[21]. Já os escritos de Marx e Engels deixaram um legado ambíguo. Por um lado, fizeram a defesa ardorosa da igualdade entre homens e mulheres, que, com eles, tornou-se parte inextricável do projeto socialista. Por outro, tenderam a ler a dominação masculina como um subproduto da dominação burguesa, anulando a especificidade das questões de gênero que o feminismo sempre buscou destacar. Ainda assim, é impossível negar o impacto que uma obra como *A origem da família, da propriedade privada e do Estado*, de Engels, teve para vincular a organização da esfera doméstica à sociedade mais ampla[22]. Na passagem do século XIX para o século XX, um corpo plural de pensamento feminista socialista se estabeleceu,

---

[20] Sojourner Truth, "Ain't I a woman?" (1851), disponível em: <http://www.fordham.edu/halsall/mod/sojtruth-woman.asp>; acessado em: 19 set. 2012.

[21] Flora Tristan, *The workers' union* (Urbana, University of Illinois Press, 2008). A edição original é de 1843.

[22] Friedrich Engels, *A origem da família, da propriedade privada e do Estado* (Rio de Janeiro, Civilização Brasileira, 1985). A edição original é de 1884.

incluindo bolcheviques como Clara Zetkin (1857-1933) e Alexandra Kollontai (1872-1952) ou anarquistas como Emma Goldman (1869-1940).

Zetkin, destacada líder da social-democracia e, depois, do comunismo alemão, foi uma das responsáveis pela inclusão dos direitos políticos das mulheres como item relevante na pauta do movimento operário. No entanto, ela julgava que a barreira de classe não podia ser transposta, opondo-se a qualquer colaboração com as sufragistas burguesas[23]. Kollontai, que após a Revolução Russa tornou-se a primeira ministra e também a primeira embaixadora da Europa, contribuiu para o rápido avanço na situação das mulheres nos primeiros anos do regime bolchevique, antes dos retrocessos da era stalinista. Ela via a família e o casamento como estruturas opressivas, defendendo o amor livre e a responsabilidade coletiva pelas crianças[24]. Já Goldman, também propagandista do amor livre e pioneira na defesa da legitimidade das relações homoafetivas, julgava que o sufragismo e o feminismo burguês não eram capazes de libertar a mulher, apenas a inseriam de um novo modo na mesma ordem social opressiva. À medida que suas bandeiras são conquistadas, "a mulher é confrontada com a necessidade de se emancipar da emancipação, se ela realmente deseja ser livre"[25]. São questões que, de diferentes maneiras, seriam retomadas pela reflexão feminista posterior.

No mundo ocidental, a plataforma feminista inicial foi efetivada ao longo do século XX. Em geral, o direito de voto foi obtido pelas mulheres nas primeiras décadas do século (embora em países como Suíça ou Luxemburgo tenha tido de esperar até os anos 1970). As barreiras à educação foram levantadas, com o acesso das mulheres a todos os níveis de ensino chegando a superar o dos homens – ainda que as profissões com maior presença feminina costumem ser aquelas com menor prestígio social e menor remuneração média. Lentamente, os códigos civis passaram a afirmar a igualdade de direitos entre os cônjuges.

---

[23] Em 1895, ela polemizou contra o jornal oficial do partido, *Vorwärts*, que aderira a uma campanha supraclassista pelos direitos das mulheres (a posição de Zetkin e a polêmica com o jornal estão disponíveis em: <http://www.marxists.org/archive/draper/1976/women/3-zetkin.html>; acessado em: 18 set. 2012). Sobre o feminismo de Zetkin, ver Tony Cliff, "Clara Zetkin and the German socialist feminist movement", *International Socialism*, segunda série, n. 13, 1981, p. 29-72.

[24] Alexandra Kollontai, "Communism and the family", em *Selected writings* (Nova York, Norton, 1980). A edição original é de 1920.

[25] Emma Goldman, "The tragedy of woman's emancipation", em *Anarchism and other essays* (North Charleston, CreateSpace, 2013), p. 84. A edição original é de 1911.

Com isso, o feminismo foi obrigado a focar mecanismos menos evidentes de reprodução da subordinação das mulheres. Questões vinculadas à sexualidade e aos direitos reprodutivos, nas quais, aliás, Kollontai e Goldman foram pioneiras, ganharam projeção. Ao mesmo tempo, as formas de subalternização que continuavam em operação na família, na política, na escola e no trabalho, a despeito dos avanços na legislação, passaram a ser esquadrinhadas.

Avulta, neste momento, a figura de Simone de Beauvoir (1908-1986), que ocupa para o feminismo contemporâneo uma posição fundadora ainda mais central que a de Mary Wollstonecraft para seus primórdios. Ela se tornou uma espécie de lenda em vida, encarnação da mulher liberada dos constrangimentos da sociedade machista, capaz de fazer o próprio caminho. Sua relação com Jean-Paul Sartre aparecia como promessa de uma nova conjugalidade, mais livre, equilibrada e satisfatória, uma idealização que ignorava que a ruptura com algumas das premissas predominantes na organização das relações afetivas convivia, no relacionamento entre os dois, com a manutenção de assimetrias muito significativas e a aceitação, por parte dela, de uma posição bastante subordinada[26].

Mas a influência de Beauvoir se deveu sobretudo à publicação de *O segundo sexo*, em 1949. Apesar da flagrante falta de unidade na construção do argumento, do subjetivismo extremado, que faz com que se passe sem escalas da vivência pessoal ou do círculo próximo para a generalização (traço que marcou negativamente muito do feminismo posterior), e do substrato psicanalítico do qual, embora ciente da misoginia de Freud, não consegue se livrar, o livro representou uma tentativa poderosa de entender a construção social do "feminino" como um conjunto de determinações e expectativas destinado a cercear a capacidade de agência autônoma das mulheres.

UMA EPISTEMOLOGIA FEMINISTA?

O estilo ensaístico de *O segundo sexo* permite que, na construção do argumento, sejam mesclados dados estatísticos, experiências pessoais, análises sociológicas e depoimentos de pessoas próximas, bem como inferências mais fundamentadas ou mais

---

[26] Hazel Rowley, *Tête-à-tète: Simone de Beauvoir e Jean-Paul Sartre* (São Paulo, Objetiva, 2006). A edição original é de 2005.

intuitivas, baseadas na literatura de ficção, no discurso da mídia ou em trabalhos acadêmicos. Sem que fosse intenção expressa de Beauvoir, com isso ela abriu caminho para a discussão a respeito de uma epistemologia feminista distinta da epistemologia dominante, masculina.

Em primeiro lugar, o conhecimento feminista seria marcado pela valorização da experiência vivida dos sujeitos sociais[27], em vez de esquemas abstratos. Mais do que isso, na versão vinculada à chamada "teoria do ponto de vista" (*standpoint theory*), julga-se que a experiência feminina, assim como de outros grupos marginalizados, possuiria um privilégio epistêmico, sendo mais capaz de apreender as estruturas de opressão e dominação[28]. Visões renovadas dessa posição apareceram no feminismo latino-americano do século XXI, na busca de uma perspectiva que unisse o pensamento decolonial ou pós-colonial com as questões de gênero, privilegiando o ponto de vista das mulheres do hemisfério Sul[29].

Indo além, a historiadora Susan Bordo anotou como concepções de "racionalidade" e "objetividade", centrais para a ciência ocidental, teriam sido desenvolvidas em associação à ideia de "masculinidade"[30]. Assim, a epistemologia dominante possuiria marcas de gênero significativas. A filósofa Genevieve Lloyd partiu de uma percepção semelhante para advogar a produção de um conhecimento mais metafórico e literário, na direção da superação de "dualismos" como razão/emoção ou racional/irracional[31].

---

[27] Virginia Held, *Feminist morality: transforming culture, society, and politics* (Chicago, The University of Chicago Press, 1983), p. 24.

[28] Nancy C. M. Hartsock, "The feminist standpoint: developing the ground for a specifically feminist historical materialism", em *The feminist standpoint revisited and other essays* (Boulder, Westview, 1998; a edição original é de 1983); Sandra Harding, *The science question in feminism* (Ithaca, Cornell University Press, 1986).

[29] Ver María Lugones, "Colonialidad y género", *Tábula Rasa*, n. 9, 2008, e "Toward a decolonial feminism", *Hypatia*, v. 25, n. 4, 2010.

[30] Susan Bordo, *The flight to objectivity: essays on Cartesianism and culture* (Albany, Suny, 1990).

[31] Genevieve Lloyd, *The man of reason: "male" and "female" in Western philosophy* (Minneapolis, University of Minnesota Press, 1984).

> As críticas à objetividade, à imparcialidade e ao conhecimento desinteressado estão na raiz de importantes contribuições da teoria feminista, inclusive da teoria política feminista[32]. Mas algumas visões da epistemologia feminista contribuem para legitimar como "teoria" obras em que a construção do argumento, anatematizada como masculina, é substituída por formas frouxas de depoimento poético, como em Gloria Andalzúa, ou por metáforas que assumem um caráter quase místico, como em Luce Irigaray[33].

A frase famosa que abre o segundo volume de *O segundo sexo* resume com precisão a ideia força da obra: "Não se nasce mulher, torna-se mulher"[34]. Afinal,

> a mulher não é definida nem por seus hormônios nem por instintos misteriosos, mas pela maneira pela qual ela recupera, por meio de consciências alheias, seu corpo e sua relação com o mundo.[35]

Não é exagero dizer que essa percepção funda o feminismo contemporâneo. Mesmo despida do tom existencialista que marca sua formulação original, a afirmação de que a mulher "deve escolher entre a afirmação de sua transcendência e sua alienação como objeto"[36] foi central para o desenvolvimento posterior do feminismo. A objetificação da mulher, a negação de seu potencial de transcendência e sua fixação perene no mundo da natureza (a ser contida pela cultura), bem como o fato de que ela é permanentemente levada a se ver pelos olhos dos homens[37], são as constatações que orientam a crítica feminista à submissão das mulheres nas sociedades ocidentais. Ainda que muitas críticas sejam feitas às ideias ali expressas, algumas das quais serão tratadas nos capítulos posteriores deste livro, *O segundo sexo* permanece como ponto de partida incontornável do feminismo contemporâneo.

---

[32] Iris Marion Young, *Justice and the politics of difference* (Princeton, Princeton University Press, 1990).

[33] Gloria Andalzúa, *Borderlands/La frontera: the new mestiza* (San Francisco, Aunt Lute Books, 1987); Luce Irigaray, *Ce sexe qui n'en est pas un* (Paris, Minuit, 1977).

[34] Simone de Beauvoir, *Le deuxième sexe* (Paris, Gallimard, 1949), v. II, p. 16.

[35] Ibidem, p. 516.

[36] Ibidem, v. I, p. 79.

[37] Ibidem, p. 186.

No que se refere especificamente à teoria política, Beauvoir avançou pouco. Ao que parece, a política era entendida por ela como uma esfera "superestrutural", alheia a seu foco na posição das mulheres no cotidiano das relações, sobretudo na posição das mulheres de classe média no que diz respeito ao casamento, à sexualidade e ao trabalho. Ainda assim, *O segundo sexo* teve importância por contribuir para a redefinição das fronteiras da política, indicando a profunda imbricação entre o pessoal e o social, o público e o privado. Abrindo caminho, enfim, para o provocativo *slogan* "o pessoal é político", que seria a marca do movimento feminista a partir dos anos 1960.

A partir, sobretudo, dos Estados Unidos, nesse momento o movimento feminista ganhou inserção e visibilidade inéditas. Como escritora e uma das fundadoras da National Organization of Women (NOW), Betty Friedan (1921-2006) ocupou uma posição de destaque no processo. Seu livro *A mística feminina*, grande sucesso editorial, analisa a infantilização a que as mulheres são submetidas, a fim de se adequarem aos únicos espaços que a sociedade está disposta a dar a elas, o de esposas e donas de casa submissas a um marido que as comanda. Delas, não se espera nem iniciativa nem criatividade nem liderança: "para uma garota, não é inteligente ser muito inteligente"[38]. A escola, a imprensa, a publicidade e a psicanálise produziam a ideia de que a mulher necessariamente encontrava a plenitude no casamento e na maternidade, estigmatizando aquelas que não se adequavam como desviantes e necessitadas de tratamento. O livro de Friedan representa um passo atrás em relação a outras correntes do feminismo, apresentando a experiência da classe média branca estadunidense como a condição universal da mulher. O argumento da "infantilização" certamente não é apropriado às mulheres trabalhadoras pobres, muitas vezes as únicas responsáveis pela subsistência da família. Mesmo a divisão entre o público e o privado, e com ela a relação entre feminino e domesticidade, tem sentido muito distinto quando são consideradas as mulheres pobres e negras. Uma Sojourner Truth de meados do século XX não se reconheceria no relato de Friedan.

Ao mesmo tempo, *A mística feminina* encontrou enorme ressonância, obtendo identificação imediata de um grande contingente de leitoras. O que a crítica lê, corretamente, como sua fraqueza é também a fonte de sua força: a capacidade de provocar a adesão do seu público, as mulheres brancas de classe média que

---

[38] Betty Friedan, *The feminine mystique* (Nova York, Norton, 2001), p. 258. A edição original é de 1963.

se reconheciam integralmente na narrativa. Outras obras feministas obtiveram impacto na época, colocando em pauta temas como a repressão à sexualidade feminina ou a relação entre a sexualidade masculina e a dominação política[39]. É possível dizer que esse foi o momento de maior repercussão do pensamento feminista – e a atual ofensiva antifeminista, tão presente no discurso da mídia e de um certo senso comum, é ainda uma reação a ele.

No Brasil, à parte pioneiras como Nísia Floresta ou Bertha Lutz (1894-
-1976), a reflexão feminista também ganhou espaço a partir dos anos 1960 e 1970. Por muito tempo, seu objetivo era a inclusão do gênero como uma clivagem significativa, *ao lado* da classe social. Uma obra central foi a tese de livre-docência de Heleieth Saffioti, defendida em 1967 e publicada anos depois, a partir de um referencial exclusivamente marxista[40]. O marxismo também informava o pensamento de Heloneida Studart, autora de um *best-seller* em linguagem acessível que introduziu o feminismo a milhares de jovens[41]. Já os estudos de Elizabeth Souza-Lobo, publicados postumamente, configuram uma sociologia do trabalho com ênfase em gênero[42]. Mesmo uma notória pesquisa sobre sexualidade da feminista católica Rose Marie Muraro tinha como subtítulo "corpo e classe social no Brasil"[43].

O que estou chamando de feminismo contemporâneo (usando "contempo-
râneo" de forma bastante restritiva) se estabelece no diálogo com essas tradições. Na história, na filosofia, na sociologia, na antropologia, na psicologia ou nos estudos literários, suas contribuições têm ajudado a redefinir as fronteiras das disciplinas. E assim também ocorre na teoria política, que constrói de uma nova forma seus problemas clássicos e incorpora novas questões a seu repertório a partir do universo de preocupações estabelecido pelas investigações sobre o impacto das desigualdades entre homens e mulheres e também pelas lutas em prol da superação do sexismo.

---

[39] Germaine Greer, *The female eunuch* (Nova York, HarperCollins, 1991); Kate Millet, *Sexual politics* (Urbana, University of Illinois Press, 2000). As edições originais são, respectivamente, de 1970 e 1969.

[40] Heleieth Iara Bongiovani Saffioti, *A mulher na sociedade de classes: mito e realidade* (Petrópolis, Vozes, 1976).

[41] Heloneida Studart, *Mulher, objeto de cama e mesa* (Petrópolis, Vozes, 1974).

[42] Elizabeth Souza-Lobo, *A classe operária tem dois sexos: trabalho, dominação e resistência* (São Paulo, Brasiliense, 1991).

[43] Rose Marie Muraro, *Sexualidade da mulher brasileira: corpo e classe social no Brasil* (Petrópolis, Vozes, 1983).

2
O PÚBLICO E O PRIVADO

Flávia Biroli

Se há algo que identifica um pensamento como feminista é a reflexão crítica sobre a dualidade entre a esfera pública e a esfera privada. Compreender como se desenhou a fronteira entre o público e o privado no pensamento e nas normas políticas permite expor seu caráter histórico e revelar suas implicações diferenciadas para mulheres e homens – contestando, assim, sua naturalidade e sua pretensa adequação para a construção de relações igualitárias. Trata-se, como definiu Carole Pateman em sua análise das teorias do contrato, de expor a história não contada da construção da esfera pública e dos direitos individuais na modernidade a partir da posição das mulheres[1].

Essa dualidade corresponde a uma compreensão restrita da política, que, em nome da universalidade na esfera pública, define uma série de tópicos e nem experiências como privados e, como tal, não políticos. É uma forma de isolar a política das relações de poder na vida cotidiana, negando ou desinflando o caráter político e conflitivo das relações de trabalho e das relações familiares. O destaque para as exclusões implicadas na conformação de *uma* esfera pública mostra que os valores que nela imperam não são abstratos nem universais, mas se definiram, historicamente, a partir da perspectiva de alguns indivíduos em detrimento de outros[2]. A projeção de uma esfera pública homogênea, silenciando sobre a existência de públicos distintos e conflitivos, é um de seus efeitos; a restrição do universo da contestação pública legítima, por meio da definição do que é do âmbito privado, é outro[3].

---

[1]   Carole Pateman, *The sexual contract*, cit.

[2]   Iris Marion Young, *Justice and the politics of difference*, cit.

[3]   Nancy Fraser, "Rethinking the public sphere: a contribution to the critique of actually existing democracy", em Craig Calhoun (org.), *Habermas and the public sphere* (Cambridge, The MIT Press, 1992).

Na modernidade, a esfera pública estaria baseada em princípios universais, na razão e na impessoalidade, ao passo que a esfera privada abrigaria as relações de caráter pessoal e íntimo. Se na primeira os indivíduos são definidos como manifestações da humanidade ou da cidadania comuns a todos, na segunda é incontornável que se apresentem em suas individualidades concretas e particulares. Somam-se, a essa percepção, estereótipos de gênero desvantajosos para as mulheres. Papéis atribuídos a elas, como a dedicação prioritária à vida doméstica e aos familiares, colaboraram para que a domesticidade feminina fosse vista como um traço natural e distintivo, mas também como um valor a partir do qual outros comportamentos seriam caracterizados como desvios. A natureza estaria na base das diferenças hierarquizadas entre os sexos.

Nesse quadro, a preservação da esfera privada em relação à intervenção do Estado e mesmo às normas e aos valores majoritários na esfera pública significou, em larga medida, a preservação de relações de autoridade que limitaram a autonomia das mulheres. Em muitos casos, sua integridade individual esteve comprometida enquanto a entidade familiar era valorizada. Em nome da preservação da esfera privada, os direitos dos indivíduos *na família* foram menos protegidos do que em outros espaços, ainda que neles as garantias também fossem incompletas e diferenciadas de acordo com as posições sociais. A garantia de privacidade para o domínio familiar e doméstico foi vista, por isso, como uma das ferramentas para a manutenção da dominação masculina[4]. A compreensão de que o que se passa na esfera doméstica compete apenas aos indivíduos que dela fazem parte serviu para bloquear a proteção àqueles mais vulneráveis nas relações de poder correntes. Serviu, também, para ofuscar as vinculações entre os papéis e as posições de poder na esfera privada e na esfera pública.

A dualidade entre o público e o privado nas formas criticadas pelo feminismo continua, no entanto, na base de muitas das abordagens teóricas predominantes. No debate contemporâneo sobre justiça, a esfera doméstica, sobretudo as relações familiares, é tomada como dimensão das relações sociais às quais os princípios da justiça não se aplicariam, já que nelas predominaria o afeto[5].

---

[4] Carole Pateman, *The sexual contract*, cit.; Susan Moller Okin, *Justice, gender, and the family*, cit.; Catharine A. MacKinnon, *Toward a feminist theory of the State* (Cambridge-MA, Harvard University Press, 1989).

[5] Cf. Susan Moller Okin, *Justice, gender, and the family*, cit.; Flávia Biroli, "Gênero e família em uma sociedade justa: adesão e crítica à imparcialidade no debate contemporâneo sobre justiça", *Revista de Sociologia e Política*, n. 36, 2010, p. 51-65.

É, também, o que ocorre em uma das abordagens críticas da democracia de grande impacto no debate contemporâneo, a de Jürgen Habermas[6]. Nela, a definição da esfera pública como espaço em que se dá a discussão *entre iguais* depende da suspensão dos problemas relativos à desigualdade na esfera privada – e a exclusão das mulheres, em seus exemplos históricos, aparece como questão contingente[7].

A crítica feminista permite observar que a suspensão das relações de poder na esfera privada, como tópico e problema de primeira ordem para as abordagens no âmbito da teoria política, faz mais do que deixar na sombra as experiências de parte dos indivíduos ou parte da vida de todos eles. O entendimento do que se passa *na esfera pública* é deficiente, nesse caso, porque ficam suspensas e mal compreendidas as conexões entre as posições e as relações de poder na vida doméstica, no mundo do trabalho e na esfera dos debates e da produção das decisões políticas. Em outras palavras, a análise crítica das relações de poder nas esferas convencionalmente entendidas como não públicas ou não políticas é necessária para se compreenderem as consequências políticas dos arranjos privados. Por outro lado, sem essas conexões fica difícil entender de que maneira relações tidas como voluntárias e espontâneas, mas que respaldam padrões de autoridade e produzem subordinação, têm impacto ao mesmo tempo para o exercício da autonomia por *cada indivíduo* – em ambas as esferas – e para a construção da democracia.

O feminismo mostra, assim, que é impossível descolar a esfera política da vida social, a vida pública da vida privada, quando se tem como objetivo a construção de uma sociedade democrática. Faz sentido, assim, abandonar a visão de que esfera privada e esfera pública correspondem a "lugares" e "tempos" distintos na vida dos indivíduos, passando a discuti-las como um complexo diferenciado de relações, de práticas e de direitos – incluídos os direitos à publicidade e à privacidade – permanentemente imbricados, uma vez que os efeitos dos arranjos, das relações de poder e dos direitos garantidos em uma das esferas serão sentidos na outra.

---

[6] Jürgen Habermas, *Mudança estrutural da esfera pública* (Rio de Janeiro, Tempo Brasileiro, 1984). A edição original é de 1962.

[7] Luis Felipe Miguel, *Democracia e representação: territórios em disputa* (São Paulo, Editora Unesp, 2014), cap. 3.

A crítica às desigualdades de gênero está geneticamente ligada à crítica às fronteiras convencionais entre o público e o privado nas abordagens teóricas, na prática política, nas normas e nas instituições. A garantia de liberdade e autonomia para as mulheres depende da politização de aspectos relevantes da esfera privada – podemos pensar, nesse sentido, que a restrição ao exercício de poder de alguns na esfera doméstica é necessária para garantir a liberdade e a autonomia de outras. A tipificação da violência doméstica e do estupro no casamento como crimes são exemplos claros de que a "interferência" na vida privada é incontornável para garantir a cidadania e mesmo a integridade física das mulheres e das crianças. O mundo dos afetos é também aquele em que muitos abusos puderam ser perpetuados em nome da privacidade e da autonomia da entidade familiar em relação às normas aplicáveis ao espaço público.

Além disso, a defesa de relações mais justas e democráticas na esfera privada leva a refletir sobre os papéis convencionais de gênero e a divisão do trabalho, expondo suas implicações para a participação paritária de mulheres e homens na vida pública. Relações mais justas na vida doméstica permitiriam ampliar o horizonte de possibilidades das mulheres, com impacto em suas trajetórias pessoais e suas formas de participação na sociedade. O âmbito das relações familiares e íntimas pode ser também o da distribuição desigual das responsabilidades sobre a vida doméstica e sobre as crianças, dos estímulos diferenciados que favorecem um maior exercício da autonomia, no caso dos homens, e a obediência ou o engajamento em relações que cultivam uma posição de dependência e subordinação para as mulheres. Quando a organização das relações na vida privada constitui barreira à participação paritária de mulheres e homens na vida pública, fica reduzida a possibilidade de que as questões que se definem como relevantes a partir da experiência das mulheres na vida doméstica, como o cuidado com as crianças e os idosos e a violência e a dominação de gênero na família, ganhem visibilidade na agenda pública e nos debates políticos[8].

Esse debate está longe de ser consensual no feminismo. A crítica à dualidade entre esfera privada e esfera pública mostra que a oposição entre particularidade, na primeira, e universalidade, na segunda, toma a forma de desigualdades e dá contornos às hierarquias nas duas esferas. Mas as posições que são produzidas a partir dessa crítica são distintas. Variam os entendimentos sobre o valor da

---

[8]   Flávia Biroli, *Família: novos conceitos* (São Paulo, Perseu Abramo, 2014), cap. 4.

universalidade e sobre como devem ser estabelecidas as garantias à intimidade e à privacidade. As abordagens apresentam, também, graus de adesão, ou de distanciamento, bastante distintos em relação aos valores e às premissas do liberalismo.

Certas análises expõem a continuidade entre as posições que mulheres e homens ocupam nas duas esferas, sem romper com algumas das premissas centrais ao liberalismo, sobretudo nas concepções de igualdade e universalidade, que são mantidas como horizontes normativos. A abordagem de Susan Okin exemplifica bem essa posição[9]. Nela, a separação entre as esferas é vista como ficção, dado que a posição em uma, com as vantagens e as desvantagens a ela associadas, tem impacto nas alternativas que se desenham e nas relações que se estabelecem na outra. As barreiras para o exercício do trabalho remunerado fora da esfera doméstica, especialmente para o acesso às posições de maior autoridade, maior prestígio e maiores vencimentos, estão associadas ao tempo que a mulher despende no trabalho, não remunerado, na esfera doméstica. Por outro lado, é esse trabalho feminino que permite que o homem seja liberado para atender a exigências profissionais que lhe permitem maior remuneração e a construção de uma carreira, assim como para usufruir o tempo livre – livre da rotina profissional, mas também das exigências da vida doméstica.

A ficção de que o público e o privado existem como dimensões distintas da vida oculta sua complementaridade na produção das oportunidades para os indivíduos. As expectativas sociais conduzem ao desenvolvimento de habilidades diferenciadas pelas mulheres e pelos homens. As atividades para as quais eles são orientados correspondem, por outro lado, a posições diversamente valorizadas, levando não apenas a "diferenças", mas à assimetria nos recursos. As mulheres são "expostas à vulnerabilidade durante o período de desenvolvimento por suas expectativas pessoais (e socialmente reforçadas) de que serão as principais responsáveis pelo cuidado com as crianças", o que orienta seu comportamento para a conquista do casamento, já que atrair e manter o suporte econômico de um homem torna-se necessário para o cumprimento do papel que se espera que desempenhem[10]. De modo correspondente, o mundo do trabalho se estruturou

---

[9] Susan Moller Okin, *Women in Western political thought* (Princeton, Princeton University Press, 1979); *Justice, gender, and the family*, cit.; "Reason and feeling in thinking about justice", *Ethics*, v. 99, n. 2, 1989.

[10] Idem, *Justice, gender, and the family*, cit., p. 139.

com o pressuposto de que "os trabalhadores" têm esposas em casa. No casamento convencional, o controle dos recursos materiais permanece nas mãos dos homens, mesmo que a dedicação e a rotina de que são fruto dependam do trabalho não remunerado doméstico da mulher.

Por isso é necessário redefinir essas esferas e a relação entre elas, garantindo que exista justiça na esfera privada e que o acesso a posições, em qualquer uma delas, não seja hierarquizado segundo o sexo dos indivíduos. Não há sociedade justa na qual as relações na família sejam estruturalmente injustas; a democracia requer relações igualitárias em todas as esferas da vida, inclusive a familiar. Nesse caso, o compromisso com a universalidade como ideal normativo significa um compromisso com uma sociedade na qual o fato de ser mulher ou homem não determine o grau de autonomia e as vantagens/desvantagens dos indivíduos ao longo da vida. O universal opõe-se, assim, ao arbitrário, e uma sociedade que supere o gênero é considerada um ideal adequado para o feminismo.

Em outras abordagens, o contraponto à universalidade é, sobretudo, a singularidade da experiência feminina. Nesse sentido, a posição de Jean Bethke Elshtain pode ser destacada como exemplar[11]. A crítica à dualidade público--privado desemboca, assim, na compreensão de que as atividades das mulheres na esfera privada engendram uma ética distinta, baseada na experiência do cuidado e na gestão dos afetos, que teria impacto positivo se levada para a esfera da política. Ainda que o modo atual de organização das esferas privada e pública seja arbitrário, a experiência que as mulheres desenvolvem na esfera privada, doméstica e familiar produziria identidades socialmente significativas e estaria na base de visões de mundo distintas das dos homens – engendrando uma ética fundada na preocupação com o outro e com outros singulares, diferenciada da ética da justiça, fundada em princípios universais, abstratos e impessoais. O problema identificado na dualidade entre público e privado, nesse caso, é o isolamento da mulher na esfera privada – e não as atividades que nela se desenvolvem. A posição da mulher na esfera doméstica, nas relações afetivas e de cuidado, é vista como a origem de uma linguagem moral distinta e mesmo superior à moral masculina, vigente na esfera pública[12].

Um dos problemas dessas abordagens é que elas levam a uma reaproximação do feminismo com a visão idílica da família e da vida doméstica que as próprias

---

[11] Jean Bethke Elshtain, *Public man, private woman*, cit.

[12] Carol Gilligan, *In a different voice* (Cambridge-MA, Harvard University Press, 1982); Sara Ruddick, *Maternal thinking: toward a politics of peace* (Boston, Beacon, 1989).

feministas colocaram em questão para que as relações de poder na esfera privada pudessem ser politizadas. Na crítica ao ideal de superação da família – presente nas *households* de Sulamitah Firestone ou nas comunidades de Nancy Chodorow[13] –, os laços familiares são definidos como nossos "laços humanos mais fundamentais"[14]. O destaque à singularidade da experiência das mulheres nesses laços está na base do entendimento de que o cuidado com os outros produz uma sensibilidade moral singular. Define-se, assim, o "pensamento maternal", que ganhou força, entre os estudos feministas da política, na década de 1980, a partir dos estudos de Carol Gilligan[15]. Ele será discutido em outros capítulos deste livro, mas pode-se antecipar que foi criticado por reforçar estereótipos de gênero e por representar um passo atrás na problematização da dualidade entre o público e o privado e no questionamento dos padrões de gênero vigentes na divisão sexual convencional do trabalho[16]. Ainda que muitas dessas críticas não se apliquem ao trabalho de Gilligan, os problemas para os quais apontam são claros nas abordagens de Jean Bethke Elshtain e Sara Ruddick.

A vivência das mulheres na esfera doméstica vem sendo valorizada, também, em análises que não incorrem em estereótipos de gênero. Nesse caso, a noção de que é preciso resgatar a "experiência vivida" permitiria repensar a relação entre dominação e alienação[17]. Mas existe o risco de que essas análises tomem sentidos da domesticidade determinados pela posição de classe como se fossem uma vivência *das* mulheres[18]. A desvalorização do trabalho doméstico, por exemplo, requer uma análise cuidadosa. Ela está relacionada à divisão sexual do trabalho e a arranjos familiares convencionais – a posição

---

[13] Sulamith Firestone, *The dialectic of sex: the case for feminist revolution* (Nova York, Farrar, Straus and Giroux, 2003; edição original de 1970); Nancy Chodorow, *The reproduction of mothering* (Berkeley, University of California Press, 1978).

[14] Jean Bethke Elshtain, *Public man, private woman*, cit., p. 326, 337.

[15] Carol Gilligan, *In a different voice*, cit.

[16] Mary Dietz, "Citizenship with a feminist face: the problem with maternal thinking", *Political Theory*, v. 13, n. 1, 1985; Marilyn Friedman, "Beyond caring: the de-moralization of gender", em Virginia Held (org.), *Justice and care* (Oxford, Westview, 1995); Luis Felipe Miguel, "Política de interesses, política do desvelo: representação e 'singularidade feminina'", *Revista Estudos Feministas*, v. 9, n. 1, 2001; Elisabeth Badinter, *Rumo equivocado: o feminismo e alguns destinos* (Rio de Janeiro, Civilização Brasileira, 2005; a edição original é de 2003).

[17] Flávia Biroli, *Autonomia e desigualdades de gênero: contribuições do feminismo para a crítica democrática* (Niterói/Vinhedo, Eduff/Horizonte, 2013), cap. 2.

[18] É o que ocorre em Simone de Beauvoir, *Le deuxième sexe*, cit., e em textos presentes em Iris Marion Young, *On female body experience: "Throwing like a girl" and other essays* (Oxford, Oxford University Press, 2005).

hierárquica da "dona de casa" e o trabalho doméstico desvalorizado são faces de uma mesma moeda, mesmo quando as mulheres trabalham dentro *e* fora de casa. Entre as camadas mais pobres da população, porém, a permanência da mulher na posição de "dona de casa" é um efeito casado das convenções de gênero e do desemprego[19]. A liberação das mulheres pelo trabalho remunerado, por outro lado, é uma idealização fincada na experiência das poucas mulheres que podem ter acesso a carreiras profissionais com grau relativamente ampliado de autonomia e de remuneração:

> para as mulheres da classe trabalhadora que ganham muitas vezes menos do que o salário mínimo e recebem poucos benefícios, quando os recebem, [a inserção no mercado de trabalho] significa a continuidade da exploração de classe.[20]

Por outro lado, ainda que a maioria das mulheres não tenha um emprego satisfatório, tomar parte da esfera pública por meio da inserção no mundo do trabalho em vez de permanecer na rotina de isolamento e trabalho doméstico repetitivo é considerado por muitas delas um bem[21]. Ainda que se faça a crítica à idealização do trabalho remunerado por parte do feminismo, a relação entre acesso ao trabalho e cidadania permanece incontornável[22].

A posição de classe incide também sobre o entendimento que se tem da vida doméstica e familiar. A família pode assumir a feição de um refúgio para integrantes de grupos que sofrem discriminação e opressão sistemáticas na sociedade mais ampla. Pode, também, funcionar como um dos poucos mecanismos de suporte para pessoas em posição desprivilegiada e socialmente vulnerável. Assim, a "desvalorização da vida familiar na discussão feminista muitas vezes reflete a natureza de classe do movimento"[23]. Do mesmo modo, as privações associadas à opressão de gênero podem ter sentidos muito distintos para as mulheres de acordo com sua posição de classe. As dores psicológicas relacionadas à domesticidade e aos papéis convencionais de gênero, expressas a partir

---

[19] Angela Y. Davis, *Women, race & class*, cit., p. 239.

[20] Bell Hooks, *Feminist theory: from margin to center* (Cambridge, South End, 2000), p. 61. A edição original é de 1984. Bell Hooks grafa seu nome sem iniciais maiúsculas ("bell hooks"), porém, neste livro, optamos por manter o mesmo padrão para todos os nomes.

[21] Angela Y. Davis, *Women, race & class*, cit., p. 242.

[22] André Gorz, *Métamorphoses du travail: quête du sens. Critique de la raison économique* (Paris, Galilée, 1988).

[23] Bell Hooks, *Feminist theory*, cit., p. 39.

da experiência das mulheres de classe média, não são equivalentes às privações materiais que incidem diretamente na organização da esfera doméstica, mas também na relação entre esfera doméstica, trabalho e esfera pública na vida das mulheres pobres[24]. As formas de organização da esfera doméstica e seu sentido, assim como o acesso à privacidade, variam não apenas de acordo com o gênero, mas com a posição de classe e o suporte material disponível.

PRIVACIDADE PARA QUEM?

Nas abordagens liberais, a privacidade corresponde a limitações à intervenção e ao controle por parte do Estado. Muitas abordagens no feminismo destacam, no entanto, que ausência de Estado não significa garantia à privacidade. Em contextos de dominação masculina, significou o direito dos "chefes de família" a não sofrer interferência no controle nem no comando sobre outros indivíduos na esfera privada[25]. Há uma denúncia clara, nesse caso, de que a privacidade ganha sentidos diferentes para os indivíduos segundo sua posição nas relações de poder. Por isso seria importante redefini-la a partir de uma perspectiva feminista. Mas o gênero não esgota as questões relativas ao acesso diferenciado à privacidade. O usufruto da privacidade está diretamente relacionado à posição social dos indivíduos. Para homens brancos e com carreiras profissionais bem remuneradas, o usufruto da privacidade pode ser possível no espaço público – escritórios com portas fechadas, com controle sobre quem tem acesso a eles, são um exemplo – assim como no espaço doméstico, em que uma posição privilegiada no acesso a recursos pode permitir uma casa com espaço suficiente para usufruto da privacidade, enquanto vantagens produzidas pela divisão sexual do trabalho garantem o tempo necessário para isso. Do mesmo modo, e com toda a carga associada à divisão sexual do trabalho, a privacidade do "lar" pode ter sentidos muito distintos para uma mulher de classe

---

[24] Ibidem, p. 62.

[25] Susan Okin, "Gender, the public, and the private", em Anne Phillips (org.), *Feminism and politics* (Oxford, Oxford University Press, 1998), p. 118.

média e para uma mulher pobre. O tempo livre permitido pelo acesso da primeira aos serviços prestados pela segunda e/ou a eletrodomésticos ampliam suas possibilidades de atuar na esfera pública, mas também de desenvolver relações pessoais íntimas, de usufruir a liberdade que decorre da suspensão temporária dos papéis publicamente desempenhados e de desenvolver suas capacidades mentais e criativas.

Em outras palavras, o usufruto do "direito a ser deixado em paz" tem relação direta com a posição dos indivíduos na geografia espacial das relações de poder, seu acesso a tempo livre e seu controle potencial sobre a própria vida. Privacidade pode, nesse sentido, depender de um menor grau de privatização. A socialização de tarefas domésticas, como o preparo dos alimentos, a ampliação da responsabilidade social pelo cuidado com as crianças e os idosos, poderia ampliar, simultaneamente, o acesso das mulheres, sobretudo das mulheres mais pobres, à esfera pública e à privacidade[26]. Por outro lado, políticas públicas que legitimam a intervenção direta na vida doméstica e familiar, ainda que em nome da proteção aos mais vulneráveis, podem corresponder a formas de violência simbólica e redução da autonomia justamente dos mais vulneráveis, como negros, minorias étnicas e mulheres. É o que vem sendo criticado em políticas colocadas em curso pelo *Welfare State* em diferentes países[27].

Ao mesmo tempo, as ambiguidades da esfera doméstica burguesa tornam a crítica feminista mais complexa do que a denúncia, em alguns aspectos similar, que o movimento operário fez e faz à privatização do mundo do trabalho. A esfera privada colocada em xeque pelo feminismo é um espaço de assimetrias e agressões, mas também pode se definir como local de afeto, de desprendimento e de relações desinteressadas (o que não é, evidentemente, o caso da fábrica). Nos dois ambientes, relações pactuadas entre indivíduos formalmente livres –

---

[26] Cf. a discussão feita por Angela Y. Davis, *Women, race & class*, cit., p. 222-44.

[27] Cf. Nancy Fraser, *Unruly practices: power, discourse, and gender in contemporary social theory* (Minneapolis, University of Minnesota Press, 1989), cap. 6; *Justice interruptus*, cit., cap. 6.

como no contrato de casamento e no contrato de trabalho – podem resultar na submissão de uns a outros e na alienação da capacidade de autodeterminação dos mais vulneráveis[28]. Mas, enquanto a regulação pública das relações de trabalho corresponde a esforços para a manutenção de graus ampliados de autonomia e proteção para os trabalhadores, a regulação da esfera doméstica e familiar coloca questões distintas. Por isso muitas autoras feministas se preocupam com a garantia do direito à privacidade, necessário para o desenvolvimento de afetos e relações de intimidade que estão na base de identidades autônomas e singulares[29].

Privacidade e intimidade são vistas, em algumas correntes do feminismo, como valores fundamentais, enquanto em outras o problema enfrentado é, diferentemente, a equivalência entre espaço privado e dominação. A visão de que a violência sexual é constitutiva das relações entre mulheres e homens, assim como a identificação do estupro como arma do patriarcado[30] e como arma rotineira de intimidação das mulheres[31], corrobora a definição de que a privacidade é parte de um ideário que serve à dominação masculina. Sobretudo no feminismo dos anos 1960 e 1970, o afeto, a sexualidade e o corpo foram politizados por meio de manifestações e de testemunhos que permitiriam levar a público as perspectivas das mulheres, em um processo que objetivou, ao mesmo tempo, redefinir as regras do jogo e conscientizar as próprias mulheres[32]. Nesse período, a noção de direito ao corpo foi fundamental em diferentes partes do mundo para o ativismo contra a violência doméstica e o estupro, assim como para a luta pelo complexo de direitos relacionados à reprodução, como o direito ao aborto[33]. Essa atuação política fortaleceu a compreensão de que cabe às

---

[28] Carole Pateman, *The sexual contract*, cit.

[29] Jean L. Cohen, "Rethinking privacy: autonomy, identity, and the abortion controversy", em Jeff Weintraub e Krishan Kumar (orgs.), *Public and private in thought and practice: perspectives on a grand dichotomy* (Chicago, The University of Chicago Press, 1997); Drucilla Cornell, *At the heart of freedom: feminism, sex, and equality* (Princeton, Princeton University Press, 1988).

[30] Kate Millett, *Sexual politics*, cit.

[31] Susan Brownmiller, *Against our will: men, women and rape* (Nova York, Fawcett Books, 1975); *In our time: memoir of a revolution* (Nova York, Delta, 1999).

[32] Idem, *Against our will*, cit., p. 396-7.

[33] Sonia E. Alvarez, *Engendering democracy in Brazil* (Princeton, Princeton University Press, 1990); Céli Regina Jardim Pinto, *Uma história do feminismo no Brasil* (São Paulo, Fundação Perseu Abramo, 2003); Rory Dicker, *A history of U. S. feminisms* (Berkeley, Seal Studies, 2008).

teóricas feministas construir categorias de análise que levem em consideração as experiências vividas pelas mulheres.

Na experiência de muitas mulheres, a proteção à privacidade na família e nas relações afetivas corresponderia a resguardar um espaço de violência contra as mulheres; não protegeria afetos, mas agressores[34]. Em vez de proteger a livre definição das identidades e das relações afetivas e sexuais, preservaria condutas que são fundamentais para a reprodução da dominação masculina. Em outras palavras, a liberdade para violentar, humilhar e manter a mulher em posição de objeto é que seria mantida. A militância antipornografia e pela criminalização do assédio sexual no feminismo baseou-se, em grande parte, no entendimento de que seria preciso politizar as relações afetivas e sexuais a partir da experiência das mulheres, rompendo com aquelas situações que lhes roubam a voz. A naturalização da agressão masculina e a erotização da dominação seriam parte do cotidiano de mulheres e homens em sociedades organizadas por práticas e valores sexistas[35]. A abordagem de Catharine MacKinnon é representativa nesse sentido. Nela, sexo heterossexual e violência são vistos como a mesma coisa ou como práticas contínuas, por isso a ideia de que as mulheres usufruam a intimidade nessas condições se torna paradoxal.

VIOLÊNCIA CONTRA A MULHER

A dualidade convencional entre vida pública e vida doméstica contribuiu para impedir a tematização da violência doméstica e do estupro no casamento. A primeira foi, por muito tempo, tida como um problema particular e, em forte medida, naturalizada como parte constitutiva da relação esperada entre homens e mulheres. O estupro no casamento, por sua vez, até recentemente foi visto como impossibilidade lógica, uma vez que o direito ao corpo da mulher era entendido como algo que é transferido para o marido no momento do casamento. Um dos efeitos desse "pertencimento", que é, simultaneamente, uma localização (na esfera doméstica) e uma subordinação (ao marido ou, antes

---

[34] Catharine A. MacKinnon, *Toward a feminist theory of the State*, cit.; *Only words* (Cambridge (MA), Harvard University Press, 1993); *Women's lives, men's laws* (Cambridge-MA, Harvard University Press, 2005); Andrea Dworkin, *Life and death* (Nova York, Free Press, 1997).

[35] Catharine A. MacKinnon, *Feminism unmodified* (Cambridge-MA, Harvard University Press, 1987).

dele, ao pai), é que em sociedades nas quais prevalecem práticas sexistas e misóginas, a mulher é alvo de violência tanto na esfera doméstica quanto fora dela, quando esses laços "protetores" não são reconhecidos. O risco existe em graus variados, dependendo da região do globo, do país e mesmo da localização (territorial e social) dentro de países determinandos. Ainda assim, a ameaça difusa que a violência sexual representa para as mulheres pode ser pensada como um dos aspectos que as definem como um grupo social distinto dos homens.

As lutas feministas produziram avanços na legislação relativa à violência doméstica e ao estupro em diversas partes do mundo, mas permanece alto o número de estupros e de assassinatos de mulheres por homens com quem elas tiveram relações afetivas. No Brasil, a atuação do movimento feminista teve como um dos principais resultados a aprovação da Lei n. 11.340, conhecida como Lei Maria da Penha, em 2006, que tipifica a violência doméstica contra a mulher e cria mecanismos para combatê-la. Porém ainda há dificuldades no combate à violência contra a mulher. Elas remetem à construção institucional das normas e das políticas, mas também à tolerância a formas cotidianas da dominação masculina, que podem ser situadas no âmbito dos costumes[36].

É nesse contexto, no entanto, que a vitimização das mulheres, com a condenação da "sexualidade masculina" e, segundo algumas leituras, da própria liberação sexual, levaria o feminismo a aliar-se aos setores mais retrógrados da sociedade. Para fazer avançar as leis antipornografia, por exemplo, Catharine MacKinnon e Andrea Dworkin se aliaram à direita estadunidense, com sua agenda moral conservadora fortemente ligada a grupos religiosos. O direito ao aborto foi visto como do interesse masculino porque permitiria o controle

---

[36] Lourdes Bandeira, "Três décadas de resistência feminista contra o sexismo e a violência feminina no Brasil: 1976-2006", *Sociedade & Estado*, v. 24, n. 2, 2009; cf. também: Guita Grin Debert e Maria Filomena Gregori, "Violência e gênero: novas propostas, velhos dilemas", *Revista Brasileira de Ciências Sociais*, n. 66, 2008.

"das consequências reprodutivas do intercurso, facilitando, portanto, o acesso sexual dos homens às mulheres"[37]. A relação entre a reivindicação feminista pelo direito ao corpo e a chamada "revolução sexual" é, de fato, complexa e polêmica. Não são apenas MacKinnon e Dworkin que julgam que as transformações na moral sexual fazem as mulheres passar de uma posição de castidade para outra de disponibilidade, mas também compulsória e igualmente subordinada. É o que afirma Germaine Greer no prefácio à reedição, 21 anos depois, de seu *The female eunuch*[38]. O que está em questão é a impossibilidade da expressão de uma sexualidade "autêntica" e livre enquanto permanecerem as estruturas sociais de dominação.

Mas o direito das mulheres ao aborto e ao controle de sua sexualidade e sua capacidade reprodutiva pode ser pensado como fundamental para a cidadania igual de mulheres e homens. Sua negação retira às mulheres o domínio sobre seu corpo, restringindo também seu direito à privacidade na decisão sobre questões de forte relevância ética e moral para os indivíduos[39]. Quando essa forma da privacidade e da intimidade, que garante a autonomia das mulheres na decisão sobre seu corpo e sobre questões relevantes para sua identidade, não é garantida, os direitos individuais são restritos. As formas de controle que assim se definem são, quase sempre, determinadas não por agendas feministas favoráveis à reconstrução das relações afetivas e sexuais, mas por agendas morais de grupos religiosos ou tradicionalistas, que tendem a operar contrariamente a relações de gênero mais igualitárias e à autonomia das mulheres.

A abordagem mackinnoniana da dominação masculina apresenta também o risco potencial de retorno a um ideal do feminino que identifica a mulher com o amor e o afeto, em contraste com o estereótipo da agressividade masculina. Estaríamos, nesse caso, a um passo de outro resgate, o da vida familiar e da moralidade sexual convencionais. Segundo uma das críticas mais contundentes a esse tipo de abordagem no feminismo norte-americano,

> voltamos aos estereótipos de antigamente – à época do velho patriarcado –, quando as mulheres, eternas menores, recorriam aos homens da família para protegê-las. Exceto que hoje em dia já não há homens para protegê-las. [...]Todos os homens

---

[37]   Catharine A. MacKinnon, *Toward a feminist theory of the State*, cit., p. 168.

[38]   Germaine Greer, *The female eunuch*, cit.; cf. também: Ariel Levy, *Female chauvinist pigs: women and the rise of raunch culture* (Nova York, Free Press, 2005).

[39]   Jean L. Cohen, *Regulating intimacy* (Princeton, Princeton University Press, 2002).

são suspeitos e sua violência é exercida em toda parte. A mulher-criança tem de recorrer à justiça, como a criança que pede proteção aos pais.[40]

As palavras de Badinter revelam, porém, como a crítica ao extremismo das posições de MacKinnon com frequência se apoia em visões de senso comum, nas quais a noção liberal de sujeito autônomo – exatamente aquilo que está posto em xeque – é reintroduzida sem questionamento.

Colocando a controvérsia em outros termos, o maior controle e a regulação do Estado sobre a esfera doméstica e familiar foi e é necessário para a criminalização da violência e de diferentes formas de abuso e uso arbitrário da autoridade contra mulheres e crianças, preservados pela separação entre as esferas. Por outro lado, a separação (ou algum tipo de separação) entre as esferas é necessária para garantir a autonomia dos indivíduos – e considerar que a regulação legal das relações é necessária para proteger as mulheres, inclusive a despeito do que de fato desejem, pode ser uma forma de ferir, em vez de respeitar, sua capacidade de autodeterminação.

A privacidade permite, ainda, que as relações afetivas sejam construídas segundo padrões que não necessariamente estejam de acordo com os valores socialmente dominantes. Um exemplo é a garantia do desenvolvimento das relações homoafetivas em sociedades fortemente orientadas pela norma heterossexual[41]. Mas a questão, é claro, não se resolve apenas reservando o espaço privado para seu desenvolvimento, se essas relações continuarem a ser vistas como "alternativas" ou "desviantes". O valor da privacidade careceria, aqui, de um de seus aspectos mais relevantes, que é a autonomia dos indivíduos na definição do que deve ou não ser tornado público sobre si e sobre suas relações; o controle público compulsório é problemático, mas o silêncio compulsório devido a estigmas e ameaças de violência também é.

Nesse argumento, a autonomia dos indivíduos na definição de sua identidade é destacada como requisito para a justiça e a democracia[42]. A preservação de um espaço "físico e moral" seria necessária justamente para que os indivíduos

---

[40] Elisabeth Badinter, *Rumo equivocado*, cit., p. 41.

[41] Cf. Rune Sander Halvorsen e Annick Prieur, "Le Droit à l'indifférence: le mariage homosexuel", *Actes de la Recherche en Sciences Sociales*, n. 113, 1996.

[42] Jean L. Cohen, *Regulating intimacy*, cit.

personalizassem quem eles são sexualmente e definissem sua vida afetiva sem a imposição do Estado nem de padrões morais dominantes[43].

A pluralidade democrática depende da garantia do espaço para o florescimento de identidades baseadas em crenças e práticas distintas. Mas é preciso garantir que esse espaço seja livre da violência, do constrangimento sistemático à autonomia de parte dos indivíduos, assim como das desigualdades que potencializam o exercício da autoridade por parte de alguns e a vulnerabilidade e a subordinação de outras. Nesse sentido, a garantia da privacidade depende da crítica à dualidade convencional entre o público e o privado e às desigualdades de gênero a que essa dualidade tem, tradicionalmente, correspondido.

---

[43] Drucilla Cornell, *At the heart of freedom: feminism, sex, and equality*, cit.

3
JUSTIÇA E FAMÍLIA

Flávia Biroli

A necessária interface entre o caráter de intimidade e a singularidade dos laços familiares e seu caráter político e institucionalmente talhado faz da família um tema complexo. É difícil estabelecer uma exterioridade entre as relações familiares, sejam quais forem suas formas e as subjetividades que se desenvolvem relacionadas a elas, nutridas por elas. As formas assumidas pelo que definimos como família são diversas em tempos e contextos distintos, são afetadas por decisões políticas e normas institucionais e expressam relações de poder. São, também, constitutivas das identidades dos indivíduos, de suas alternativas e formas de desenvolvimento e de integração em comunidades e na sociedade. A dimensão afetiva das relações íntimas e especiais é um aspecto relevante da definição da família nas sociedades contemporâneas. Mas isso não reduz nem exclui sua dimensão social e política.

"A família" é foco de disputas nas teorias e na prática política, o que incide diretamente sobre sua definição. É, também, um tema incontornável quando há preocupação com as desigualdades de gênero e, por isso, um dos objetos de reflexão clássicos do feminismo. Enquanto o feminismo apresenta abordagens diversas e muitas vezes divergentes da família, no pensamento social e político, de modo mais abrangente, prevalece o silêncio sobre as relações de poder na família e as desigualdades e as formas de dependência e vulnerabilidade reproduzidas pelos arranjos familiares convencionais. Isso significa que, mesmo quando a família é mencionada como instituição central à socialização dos indivíduos e, como tal, à definição das relações e dos valores que organizam uma dada sociedade, permanecem negligenciados os problemas relativos às relações intrafamiliares e aos limites dos arranjos que são institucionalmente considerados como "família", definindo alocações de recursos. Permanece negligenciada, também, a conexão entre as relações de poder na esfera doméstica e familiar e as relações de poder em outras esferas da vida social. Assim, os nexos entre as hierarquias dentro e fora da família ficam apagados.

Parte importante da crítica feminista foi elaborada como reação a esse apagamento, mas também à valorização abstrata dos laços familiares em detrimento dos direitos individuais e da igualdade de gênero. É por considerar o enorme impacto das relações familiares na socialização dos indivíduos, no horizonte de suas expectativas, assim como para sua integridade e dignidade, que o feminismo expôs as hierarquias e as formas de violência que podem, tanto quanto o afeto, ser definidoras das relações nas esferas doméstica e familiar. Nesse caso, o foco da crítica foi a família moderna, isto é, os arranjos familiares que se tornaram referência normativa com o advento do mundo burguês. Neles, a contradição entre um ideal orientado pelo livre engajamento dos indivíduos e as formas de coerção e incentivo para que as mulheres "escolham" o casamento, fundadas em desigualdades materiais e simbólicas, remetem à divisão sexual do trabalho nesse sistema social de gênero, com o arranjo familiar a que corresponde[1]. Por outro lado, engajamento voluntário e subordinação conviveram em arranjos nos quais as mulheres alienariam parte de si na medida em que concediam ao marido o controle sobre sua pessoa, em um "acordo" que incluía restrições nos direitos das mulheres sobre o próprio corpo[2].

As formas hoje convencionais de organização da família são um dispositivo central da reprodução da dicotomia entre a esfera privada e a esfera pública. Em sua forma moderna datada[3], definida pela privatização do espaço familiar e coincidente com o entendimento da família como unidade de "autogestão", fundem-se casamento heterossexual monogâmico, amor romântico e cuidado com os filhos. Ela é distinta dos arranjos tradicionais prévios à era da industrialização, isto é, prévios ao período em que a separação entre o chão da fábrica e o chão da casa não era claramente estabelecida. Acentuam-se, assim, as *descontinuidades* entre as esferas (organizando a intimidade, na esfera privada, em torno de valores para os quais é central a domesticidade feminina e definindo as relações na esfera pública como a interação entre indivíduos igualmente livres) e as *continuidades* entre elas (diferenciando os papéis de homens e mulheres em cada uma dessas esferas, tornando complementares a participação dos homens

---

[1]   Judith Stacey, *In the name of family: rethinking family values in the postmodern age* (Boston, Beacon, 1996), p. 42.

[2]   Carole Pateman, *The sexual contract*, cit.

[3]   Judith Stacey, *In the name of family*, cit.

na esfera pública e a determinação dos encargos das mulheres na esfera privada, entre os quais se destaca a responsabilidade pela criação dos filhos).

Essa forma de construção da vida familiar é geneticamente ligada à reprodução das desigualdades de gênero. Ela corresponde a arranjos que favorecem a reprodução da pobreza, da exploração e da marginalização das mulheres, do androcentrismo e das desigualdades de renda, no uso do tempo e nas garantias de respeito[4]. A divisão sexual do trabalho é um fator relevante na reprodução dessas desigualdades. No âmbito doméstico, impõe às mulheres ônus que serão, então, percebidos como deficiências em outras esferas da vida[5]. A conexão entre os aspectos doméstico e não doméstico da vida é profunda e permeia todos os espaços e atividades[6]. As formas de definir – e restringir – o papel da mulher em uma dessas esferas organizam suas possibilidades de vida nas outras. Assim, a responsabilidade exclusiva pela gestão da vida doméstica corresponde, ao mesmo tempo, à vulnerabilidade na vida privada (em que os arranjos convencionais, ou quase convencionais[7], produzem desvantagens para as mulheres, que têm menos tempo e recursos para qualificar-se e investir em sua vida profissional, permanecendo dependentes ou obtendo rendimentos menores do que os dos homens) e na vida pública (em que as habilidades desenvolvidas pelo desempenho dos papéis domésticos serão desvalorizadas e, em alguns casos, vistas como indesejáveis para uma atuação profissional satisfatória).

A discussão sobre a vulnerabilidade das mulheres no casamento é um exemplo importante da interconexão entre as esferas e dos efeitos dos arranjos familiares. Pode-se pensar em vulnerabilidade e dependência mútua no casamento, com formas variáveis de assimetria (inclusive no amor de um dos parceiros pelo outro), que não coincidem com as diferenças entre os sexos. Mas há, no casamento, ao lado dessas especificidades, padrões de gênero socialmente estruturados que envolvem as mulheres em "ciclos de vulnerabilidade socialmente

---

[4]   Nancy Fraser, *Justice interruptus*, cit., p. 49-54.

[5]   Susan Moller Okin, *Justice, gender, and the family*, cit., p. 133.

[6]   Ibidem, p. 126.

[7]   Arranjos quase convencionais são aqueles em que as mulheres têm uma atuação na esfera pública do trabalho, que lhe confere valorização e renda, mas fica mantida, na esfera doméstica, a divisão estabelecida dos encargos e das expectativas. São, assim, os arranjos relacionados à noção de dupla jornada e ao problema da divisão desigual do tempo, com impacto sobre a participação política das mulheres e o lazer, entre outros aspectos.

causada e distintamente assimétrica"[8]. O foco na domesticidade não corresponde à valorização em outras esferas da vida. Por outro lado, o trabalho não remunerado realizado pelas mulheres orienta – ou limita – suas possibilidades de exercício do trabalho remunerado e de usufruto do tempo livre, mas é o que possibilita a dedicação ampliada do tempo dos maridos ao trabalho e/ou ao lazer. Além disso, a atribuição de papéis distintos está na base da ideia de que existiriam talentos e tendências naturalmente diferenciados entre os sexos. Expectativas convencionais sobre o papel da mulher, especialmente aquelas que definem seu valor a partir da capacidade de cuidar dos outros e de renunciar a seus interesses, podem permanecer mesmo em meio a transformações na atuação e na autopercepção das mulheres, assim como na multiplicação dos tipos de arranjo nos casamentos.

No entanto, essa divisão dos papéis e as expectativas convencionais a ela relacionadas não ganharam apenas sinal negativo nas teorias feministas. Para a corrente maternalista, as formas convencionais da divisão sexual do trabalho produzem uma ética distinta da ética da justiça, a chamada ética do cuidado ou do desvelo. A justiça – liberal, fundada no valor da imparcialidade e da universalidade – não seria capaz de assimilar valores e perspectivas morais que teriam como fundamento as relações e os conflitos familiares. São esses valores e essas perspectivas que caracterizariam a visão das mulheres, a partir da vivência que sua posição específica nas relações sociais lhes daria. Essa perspectiva, focada nas interconexões, seria vista como "a linguagem do discurso moral das mulheres"[9].

JUSTIÇA E CUIDADO

Na moralidade centrada no cuidado, o desenvolvimento moral estaria conectado à responsabilidade pelos outros e aos relacionamentos, enquanto a moralidade centrada na justiça definiria o desenvolvimento moral por meio de direitos e de regras impessoais. Os estudos de Gilligan, que foram certamente os que tiveram maior impacto no debate sobre perspectiva e ética diferenciada no feminismo, partem da teoria dos estágios morais do filósofo

---

[8] Susan Moller Okin, *Justice, gender, and the family*, cit., p. 138.
[9] Carol Gilligan, *In a different voice*, cit., p. 70.

e psicólogo estadunidense Lawrence Kohlberg[10]. Para ele, os estágios iniciais do desenvolvimento moral são referenciados pela existência ou a ausência de punição e pelo prazer e a satisfação do próprio indivíduo. Os estágios mais avançados do desenvolvimento moral são orientados pela lei, pelo contrato social democrático e, no topo do que denomina desenvolvimento pós-convencional, pelo reconhecimento dos princípios morais universais como orientação da consciência individual. A partir da aplicação inicial da teoria de Kohlberg às entrevistas realizadas em sua pesquisa, Gilligan assumiria que essa teoria expressa um tipo de desenvolvimento moral, o da justiça e dos direitos. "A distinção entre a ética da justiça e dos direitos e a ética do cuidado e da responsabilidade permite que ela aborde de maneira nova o desenvolvimento moral e as competências cognitivas das mulheres"[11]. Rompe, assim, com a visão de que as mulheres apresentariam uma falta ou um desvio em relação a padrões supostos como universais, expondo o fato de que esses se definiram tendo como referência o raciocínio moral dos homens.

A "ética do cuidado" tem em comum com abordagens comunitaristas e tradicionalistas, como as de Michael Sandel e Charles Taylor[12], o fato de que seu ponto de partida são as relações que constituem os indivíduos, e não os próprios indivíduos, isto é, a intersubjetividade é tomada como a base da individualidade, e não o contrário. A correlação entre uma perspectiva – e sensibilidade – feminina e uma ética orientada pelas relações e pelo cuidado produziria o fundamento moral e ético para relações humanas menos violentas. Gilligan esboçaria o entendimento,

---

[10]   Lawrence Kohlberg, *Essays on moral development: the philosophy of moral development* (San Francisco, Harper & Row, 1981).

[11]   Seyla Benhabib, "The generalized and the concrete other: the Kohlberg-Gilligan controversy and feminist theory", em Seyla Benhabib e Drucilla Cornell (orgs.), *Feminism as critique* (Minneapolis, University of Minnesota Press, 1987), p. 78.

[12]   Michael J. Sandel, *Liberalism and the limits of justice* (Cambridge, Cambridge University Press, 1998; a edição original é de 1982); Charles Taylor, *The ethics of authenticity* (Cambridge-MA, Harvard University Press, 1991).

> que teria sua força ampliada em Ruddick e Elshtain[13], de que "a sensibilidade para as necessidades dos outros e a responsabilidade por cuidar de outros leva as mulheres a considerar vozes que não a própria e a incluir em seu julgamento diferentes pontos de vista. A fraqueza moral das mulheres, manifesta na a parente diluição e confusão no julgamento, é, portanto, inseparável da força moral das mulheres, sua preocupação prioritária com os relacionamentos e as responsabilidades"[14].

A institucionalização do poder masculino correspondeu largamente à incorporação de grande parte da vida social aos códigos e ao controle jurídico e burocratizado do Estado, com a simultânea diminuição dos âmbitos nos quais o poder informal das mulheres teria sido historicamente exercido, o doméstico e o sagrado. O pensamento moderno – com sua herança no liberalismo contemporâneo – situaria o indivíduo e os direitos em um mundo no qual "os indivíduos são adultos antes de terem nascido; os garotos são homens antes de terem sido crianças; um mundo no qual nem mãe nem irmã nem esposa existem"[15]. A aderência a essa compreensão – que conjuga, então, poder, justiça, modernidade e progresso – levaria a incorporar também a "visão já estabelecida do indivíduo masculino livre, racional e totalmente independente" e seu modo de exercer poder[16]. Por outro lado, recusar-se a ela significaria valorizar as experiências e as perspectivas das mulheres, engendradas por sua posição na esfera privada – o âmbito da influência e do poder femininos. O problema é que a experiência valorizada é justamente aquela que resulta da domesticação, da segregação das mulheres à esfera privada e/ou a atividades e competências consideradas femininas na esfera pública – em geral, marginais no que diz respeito ao acesso que permitiram a posições de poder e a recursos materiais.

A ideia de que a família é o âmbito primário das relações e, como tal, pode desdobrar-se em relações políticas alternativas que se nutririam das perspectivas

---

[13] Sara Ruddick, *Maternal thinking*, cit.; Jean Bethke Elshtain, *Public man, private woman*, cit.

[14] Carol Gilligan, *In a different voice*, cit., p. 17.

[15] Seyla Benhabib, "The generalized and the concrete other", cit., p. 85.

[16] Jean Bethke Elshtain, "The power and powerlessness of women", em Gisela Bock e Susan James (orgs.), *Beyond equality and difference: citizenship, feminist politics, female subjectivity* (Londres, Routledge, 1992), p. 116.

e experiências das mulheres na esfera doméstica esbarra ao menos nos dois questionamentos que foram levantados por Mary Dietz[17]. Primeiramente, a esfera doméstica e familiar, a família e a privacidade, são também tópicos para decisões políticas, que, por sua vez, as afetam e dão forma às relações que nelas se constituem. Isso significa que práticas relativas à maternidade, ao direito das crianças, aos limites e às formas assumidas pela família, entre outras, estão sujeitas ao controle político e são afetadas por ele. Além disso, o fato de determinados aspectos da vida serem considerados privados e íntimos e, como tal, resguardados do controle do Estado é também fruto de valores e normas políticas.

O segundo questionamento se refere ao fato de que é na atividade política (e como fruto dela) que os indivíduos podem relacionar-se como iguais, que "elaboram julgamentos sobre questões de importância compartilhada, deliberam sobre tópicos que são objetos de preocupações comuns e agem conjuntamente"[18]. As relações entre a mãe e a criança, marcadas por posições e demandas absolutamente distintas de cada um e, ao menos por algum tempo, pela vulnerabilidade incontornável da/o última/o, não são, nesse sentido, um paradigma adequado para a transformação da política informada pelos valores democráticos da liberdade e da igualdade.

O maternalismo demonstra, também, pouca preocupação com o fato de que o que denominamos família varia historicamente e em diferentes culturas e sociedades. Quais são os tipos de relação que contam como relações familiares, quais arranjos são validados e como (e se) algum deles ganha maior legitimidade sobre outro no que diz respeito a direitos, assistência estatal e alocação de recursos públicos são questões políticas de primeira ordem. No maternalismo, falta uma definição mais clara de como essas questões se colocam, já que ficam subsumidas por uma representação ideal do carinho e do amor maternal, de uma experiência feminina da vida familiar e da criação dos filhos que toma a forma de realidade trans-histórica, pouco específica também em sua relação com classe, raça e sexualidade. A reação do maternalismo ao poder estatal o aproxima, também, da defesa convencional da entidade familiar e da proteção à família – em vez de aos indivíduos que a constituem. Ao aderir a idealizações da família e fazer a crítica ao controle político da esfera privada porque

---

[17]   Mary Dietz, "Citizenship with a feminist face", cit., p. 27-8.
[18]   Ibidem, p. 28.

ele derivaria de formas negativas, masculinas e decadentes do poder estatal e político, o maternalismo trabalha no sentido contrário ao da politização das relações familiares.

Em um registro oposto ao da valorização do papel das mulheres como mães, a crítica à família e à instituição do casamento faz parte do feminismo há muito tempo. Esteve presente em reflexões fundantes, como as de John Stuart Mill e Harryet Taylor Mill, Mary Wollstonecraft, Simone de Beauvoir e, mais recentemente, em duas críticas distintas, mas ambas radicais em sua análise, as de Sulamith Firestone e Carole Pateman. A independência de mulheres e crianças dependeria, para Firestone, não apenas da eliminação da família nuclear patriarcal, mas, no limite, da eliminação da própria família biológica[19]. Numa análise que critica frontalmente a psicanálise freudiana e o ideal do amor romântico, ela explicita sua proximidade com os argumentos de Beauvoir, destacando o caráter econômico do casamento. Um dos aspectos interessantes dessa análise é a ênfase na opressão das crianças na vida familiar.

Carole Pateman, já mencionada, também estabelece uma relação direta entre o contrato do casamento e as restrições à autonomia das mulheres[20]. A instituição do casamento foi criticada por ser "irreparavelmente injusta", fortalecendo o poder masculino e desenhando "uma linha arbitrária ao redor das relações legítimas"[21]. A igualdade de gênero dependeria, assim, da ruptura com normas que fazem do casamento, ao mesmo tempo, uma instância de privilégios, por excluir relações e indivíduos dos direitos a ela associadas, e de opressão, por permitir o controle interno de mulheres e crianças numa estrutura patriarcal e autoritária. Ainda que essas críticas sejam dirigidas ao casamento heterossexual, vale ampliar essa reflexão para a inclusão das uniões homoafetivas na figura jurídica do casamento, ainda que ela seja uma demanda legítima por justiça *nos termos em que as normas hoje se definem*. A desconstrução do casamento, com os privilégios a ele associados, por outro lado, não implicaria a suspensão das garantias de proteção e cuidado com as crianças. A garantia do suporte e da responsabilidade primária e especial dos adultos por crianças determinadas não

---

[19] Sulamitth Firestone, *The dialectic of sex*, cit.

[20] Carole Pateman, *The sexual contract*, cit.

[21] Iris Marion Young, *Intersecting voices: dilemmas of gender, political philosophy, and policy* (Princeton, Princeton University Press, 1997), p. 105.

depende do casamento[22]. Além disso, a desconstrução dessa instituição permitiria desvincular casamento e direitos sexuais de uns sobre outros – na prática, o controle da sexualidade pelo Estado e o controle privado de um homem sobre uma mulher – ao desconectar formalmente sexo e família[23] e legitimar arranjos distintos da família nuclear monogâmica convencional.

A partir da década de 1990, as abordagens feministas ampliam sua atenção para as transformações na família e a diversidade dos arranjos familiares. A crítica se volta, sobretudo, ao fato de que a presunção pelo Estado de modelos e modos de funcionamento da família, segundo seu padrão moderno naturalizado, incentiva determinadas formas de organização familiar e pune os indivíduos que estabelecem laços e formas de vida que não se encaixam nos padrões considerados legítimos. Muitas das políticas correntes de valorização da família correspondem à valorização de uma de suas formas, a convivência entre um casal heterossexual e seus filhos, numa relação não apenas privada, mas privatizada, como foi dito anteriormente, na qual são vistos como uma unidade autogerida, em que um salário familiar e a presença de um dos cônjuges, em geral a mulher, ou a compra de serviços no mercado resolveriam as demandas pelo cuidado com os filhos e com a vida doméstica[24]. O foco na família como arranjo estável e a concessão de direitos ou privilégios a famílias assim concebidas, e não aos indivíduos, inibem arranjos alternativos, como aqueles que se estabelecem nas relações homoafetivas, homoparentais e/ou em formas de compartilhamento e convívio que ampliam ou ultrapassam o núcleo familiar composto convencionalmente pelo casal heterossexual e seus filhos[25].

---

[22] Ibidem, p. 110-1.

[23] Ibidem, p. 109.

[24] Nancy Folbre, *Who pays for the kids: gender and the structures of constraint* (Londres, Routledge, 1994); Judith Stacey, *In the name of family*, cit.; Martha Albertson Fineman, *The autonomy myth: a theory of dependency* (Nova York, The New Press, 2004); Linda C. McClain, *The place of families: fostering capacities, equality, and responsibility* (Cambridge-MA, Harvard University Press, 2006).

[25] Miriam Pillar Grossi, "Gênero e parentesco: famílias gays e lésbicas no Brasil", *Cadernos Pagu*, n. 21, 2003; Barbara Bennett Woodhouse, "Children's rights in gay and lesbian families: a child-centered perspective", em Stephen Macedo e Iris Marion Young (orgs.), *Child, family, and State (Nomos XLIV)* (Nova York, New York University Press, 2003); Luiz Mello, "Familismo (anti)homossexual e regulação da cidadania no Brasil", *Revista Estudos Feministas*, v. 14, n. 2, 2006; Cláudia Fonseca, "Homoparentalidade: novas luzes sobre o parentesco", *Revista Estudos Feministas*, v. 16, n. 3, 2008.

Serve, igualmente, para reduzir a responsabilidade pública pela vulnerabilidade de famílias e indivíduos que não se encaixam nesse padrão.

Desse enfoque, viria a análise dos impactos indesejáveis do controle estatal sobre a vida íntima. Não se trata, agora, de um retorno à defesa da privacidade da entidade familiar (como nas correntes conservadoras do pensamento nos âmbitos político e jurídico) nem de sua valorização como a base para uma moralidade distinta e superior (como no maternalismo), mas da preocupação com a preservação de uma esfera de intimidade e de privacidade que resguarde os indivíduos e as relações que são, para eles, preciosas. O desafio seria preservar, simultaneamente, a igualdade, a justiça e a autonomia individual. Para tanto, as formas de regulação institucionalizadas teriam de ser consistentes com o reconhecimento de todas as pessoas como indivíduos livres, isto é, o reconhecimento de sua condição como agentes morais. São preocupações que ganham centralidade em análises como as de Jean Cohen, Drucilla Cornell e, de maneira distinta, nas de Judith Stacey[26]. A defesa da "privacidade relacional", despida do conteúdo patriarcal do direito convencional da família, protegeria "a interação comunicativa intensamente pessoal entre íntimos do controle indesejável e da intervenção do Estado e de terceiros", desde que as demandas de justiça não sejam violadas nas relações que assim se estabelecem[27]. O grau de interferência do Estado é, também, um ponto fundamental na cisão entre as abordagens sobre os limites da autoridade paterna e os requisitos desejáveis para o desenvolvimento das crianças, como se pode observar nos estudos reunidos por Stephen Macedo e Iris Marion Young e por Nancy Folbre e Michael Bittman e também no de Linda McClain[28].

Há uma diferença, portanto, entre a defesa da privacidade e os problemas envolvidos na privatização da esfera familiar[29]. A análise do que está envolvido nessa privatização expõe o viés de classe dos parâmetros normativos correntes e o modo como desigualdades de gênero e de classe, assim como muitas formas de

---

[26] Jean L. Cohen, "Rethinking privacy", cit.; Drucilla Cornell, *At the heart of freedom*, cit.; Judith Stacey, *In the name of family*, cit.

[27] Jean L. Cohen, "Rethinking privacy", cit., p. 143.

[28] Stephen Macedo e Iris Marion Young (orgs.), *Child, family, and State* (Nova York, New York University Press, 2003); Nancy Folbre e Michael Bittman (orgs.), *Family time: the social organization of care* (Londres, Routledge, 2004); Linda McClain, *The place of families*, cit.

[29] Para uma exposição desses problemas que destaca a crítica à privatização, cf. Flávia Biroli, *Família: novos conceitos*, cit.

racialização e femininização da pobreza, são socialmente produzidas. O cuidado com as crianças, com as pessoas doentes e com os idosos, quando entendido como um problema individual ou das famílias como entidades privadas, expõe um dos nós na reprodução da vulnerabilidade econômica diferenciada de mulheres e homens, sobretudo das mulheres pobres. Convencionalmente, a responsabilidade pelo cuidado vem sendo atribuída às mulheres. Quanto menores são os recursos e os mecanismos públicos para apoiar os indivíduos e as famílias na tarefa de cuidar dos dependentes, maior é o impacto da dedicação a essa tarefa no exercício de outras atividades, sobretudo das remuneradas e da construção de carreiras profissionais. Ao mesmo tempo, a desvalorização social do cuidado faz com que as atividades a ele relacionadas sejam mal remuneradas. O treinamento social das mulheres para o cuidado com os outros e sua especialização no cuidado dos dependentes em sociedades nas quais a divisão sexual do trabalho continua a ter importância na organização das relações na esfera privada e na esfera pública as mantêm nas posições mais baixas nas hierarquias salariais e de prestígio, mesmo quando se desdobram no exercício de atividades remuneradas.

O cuidado envolve, no entanto, questões bastante complexas. Nem sempre é possível e desejável converter o trabalho de cuidar dos outros em valor monetário ou substituir o cuidado desempenhado por familiares e amigos por serviços fornecidos pelo Estado ou contratados no mercado. É importante considerar concretamente o que é necessário para o cuidado adequado com as crianças, os idosos, os indivíduos com necessidades especiais e as pessoas doentes. Relações intensamente pessoais, muitas vezes duradouras e que envolvem afeto, podem estar na base do cuidado em todos esses casos, nas famílias e nas comunidades. Além disso, a própria ideia de cuidado envolve aspectos variados da vida, com graus distintos de dependência. Em algumas de suas formas, o cuidado pode não estar relacionado à dependência, correspondendo a algo mais próximo da atenção amorosa e do zelo. Uma análise crítica das relações de trabalho e da predominância da racionalidade econômica na organização da vida coloca questões ainda mais complexas. A organização técnico-racional do trabalho implica ausência de autonomia dos trabalhadores e produz uma separação radical entre o mundo do trabalho e o mundo da vida, contrariando "o pleno desenvolvimento, a um só tempo intelectual, corporal, estético, afetivo, relacional e moral, dos indivíduos"[30]. A mera extensão da racionalidade econômica à vida privada e às relações de cuidado não parece ser, assim, uma solução.

No entanto, essa complexidade não deve nos desviar de problemas que é preciso discutir e para os quais urge buscar alternativas. Um deles, certamente dos mais relevantes para as relações de gênero, é que as consequências da privatização do cuidado com os dependentes incidem de maneira distinta sobre a vida de mulheres e homens, de pobres e ricos. A responsabilidade pública e socialmente compartilhada pelo cuidado é necessária para reduzir as desigualdades de classe e de gênero. Isso implica uma rediscussão da responsabilidade dos indivíduos – pela própria vida e pela dos outros –, assim como a reflexão sobre a responsabilidade social pela dependência, deslocada de um registro discursivo em que é vista como desvio resultante de escolhas individuais[31].

Há uma série de desvantagens sociais associadas ao fato de as mulheres assumirem as responsabilidades na esfera familiar e doméstica, nos arranjos convencionais. A interrupção da carreira, a opção por empregos de menor carga horária, porém mal remunerados e a mobilidade social negativa associada às duas primeiras podem derivar da responsabilização das mulheres pelo cuidado com os filhos pequenos, mesmo em sociedades nas quais não há impedimentos formais para que desempenhem trabalho remunerado. Nesse caso, salários mais baixos e menos oportunidades de acesso a recursos previdenciários quando atingem idade avançada definem, no longo prazo, uma situação relativa de maior vulnerabilidade para as mulheres. Há, assim, risco crescente de exposição à pobreza e às formas de vulnerabilidade que decorrem da dependência dos recursos materiais provenientes do trabalho remunerado do marido e/ou de outros homens. Essa vulnerabilidade tende a ser ainda maior quando os casais se separam e as mulheres permanecem responsáveis pelos filhos. Nos casamentos convencionais, até mesmo o poder relativo das mulheres na definição da vida doméstica e afetiva, assim como na determinação de escolhas importantes na criação dos filhos – sobre os quais são responsabilizadas cotidianamente –, pode ser reduzido diante da autoridade proveniente dos recursos materiais e de representações patriarcais da autoridade masculina.

---

[30] André Gorz, *Métamorphoses du travail*, cit., p. 127.
[31] Flávia Biroli, *Autonomia e desigualdades de gênero*, cit., cap. 5.

Em conjunto, a divisão sexual do trabalho e a invisibilização do trabalho não remunerado realizado pelas mulheres na esfera doméstica e familiar obscurecem "uma dimensão importante da desigualdade de gênero" e enfraquecem "o poder de barganha das mulheres individualmente"[32]. As muitas transformações ocorridas nas últimas décadas, com a maior profissionalização e a entrada massiva das mulheres no mercado de trabalho em diversos ramos de atividade, não seriam de fato acompanhadas pela redivisão das tarefas domésticas. Pesquisas vêm expondo, já há algum tempo, a realidade da dupla jornada de trabalho das mulheres, com o crescimento do tempo total dedicado ao trabalho remunerado e não remunerado e uma redução do tempo para o ócio e o lazer[33]. Essa realidade pode ser pensada também da perspectiva da crítica à absorção da vida pela racionalidade econômica, na qual o problema da redução do tempo para o lazer é apenas uma ponta na cisão entre o trabalho e a vida. Nesse sentido, o que se apresenta como problema é o enfraquecimento das possibilidades de recriação da vida social em direção ao exercício da autonomia individual e de uma sociabilidade que não esteja reduzida ao trabalho heterônomo e pautada pelo consumo.

Por outro lado, dependência biológica e vulnerabilidade são fatos incontornáveis da condição humana, o que leva a defini-los como objeto de preocupação e obrigação coletiva e social[34]. A exposição das relações de dependência e cuidado permite avançar na discussão dos problemas relativos à justiça na esfera doméstica, analisando também a relação entre preferências, socialização e ocupação. A ênfase nas preferências que teriam sido voluntariamente assumidas e na responsabilidade individual colaboraria, nesse caso, para uma representação da dependência derivativa como "desvio de uma norma androcêntrica falsamente universalizada", justificando, ao fazê-lo, a subordinação das mulheres ao

---

[32] Nancy Folbre, *Who pays for the kids*, cit., p. 96.

[33] A análise comparativa do uso do tempo em diferentes países expõe dados que corroboram essa afirmação, como se pode ver nas partes 4 e 5 de Nancy Folbre e Michael Bittman (orgs.), *Family time*, cit. Para análises preliminares das relações entre uso do tempo e gênero no Brasil, vale conferir Natália Fontoura et al., "Pesquisas de uso do tempo no Brasil: contribuições para a formulação de políticas de conciliação entre trabalho, família e vida pessoal", *Revista Econômica*, v. 12, n. 1, 2010. Maria das Dores Campos Machado e Myriam Lins de Barros, "Gênero, geração e classe: uma discussão sobre as mulheres das camadas médias e populares do Rio de Janeiro", *Revista Estudos Feministas*, v. 17, n. 2, 2009, em aproximação distinta, destacam permanências e transformações de uma perspectiva geracional e de classe.

[34] Martha Albertson Fineman, *The autonomy myth*, cit., p. 48.

rendimento dos chefes de família e a estigmatização do trabalho que o cuidado pelos dependentes envolve[35].

O problema, no entanto, se mostra mais uma vez em sua amplitude, ultrapassando as relações de gênero. Dado o entendimento atual da dependência como problema privado, familiar, qualquer um, homem ou mulher, que assuma a responsabilidade pelo cuidado será potencialmente afetado pela dependência derivativa. E mudanças "espontâneas" na divisão do trabalho doméstico são, nesse caso, insuficientes para que a relação entre responsabilidade e dependência seja redefinida. O problema ultrapassa o da divisão *sexual* do trabalho doméstico, levando-nos a pensar na divisão *social* do trabalho e nas formas de exploração e concentração dos recursos nas sociedades capitalistas – ainda que sua incidência varie quando se considera a posição de mulheres e homens nessas sociedades.

Por isso, as leituras dos conflitos entre família e trabalho que se restringem aos problemas relativos à divisão sexual do trabalho e à igualdade entre homens e mulheres são insuficientes. Do mesmo modo, é insuficiente concentrar a análise nos arranjos familiares privados alternativos como motor para as mudanças. Não porque esses problemas e essas mudanças não sejam reais, fundamentais e relevantes, mas porque as normas de igualdade vigentes e as exigências de divisão igualitária do trabalho doméstico esbarram na configuração institucional mais ampla. Com as práticas e a estrutura atual, alguém sofrerá no desenvolvimento da carreira e no ambiente de trabalho, se há o trabalho de cuidado a ser feito na esfera doméstica:

> As mulheres têm estado nessa posição por gerações, então o *status quo* prevalece, mas é importante ressaltar que é a tarefa de cuidar dos outros, e não o sexo de quem assume essa tarefa, que opera como desvantagem.[36]

Por outro lado, o cálculo contábil das atividades como base para a análise das tarefas desempenhadas pelos indivíduos dentro e fora de casa deixa escapar a vivência dessas tarefas e dessas relações, o prazer ou o desprazer que o trabalho proporciona, e é insuficiente para problematizar o domínio da racionalidade econômica sobre a vida. Para que a análise de fato preserve a autodeterminação e a igualdade como valores, seria preciso reinventar uma "esfera de valores

---

[35] Elizabeth Anderson, "What is the point of equality?", *Ethics*, v. 109, n. 2, 1999, p. 311.

[36] Martha Albertson Fineman, *The autonomy myth*, cit., p. 172.

não quantificáveis, aqueles do 'tempo de viver', da soberania existencial"[37]. A reinvenção dessa esfera não depende do apelo aos ideais maternais ou à visão idílica da família, pelo contrário. Desse modo, reforçaria os estereótipos que naturalizam as desigualdades de gênero e respaldaria a saída individual para a esfera privada, em vez da recriação das relações de sociabilidade e das conexões entre o trabalho e a vida.

Um dos caminhos para considerar as relações na esfera doméstica e familiar como politicamente relevantes, sem incorrer no ideal maternalista, de um lado, nem na aposta em formas de regulação do Estado que poderiam comprometer a autonomia dos indivíduos, de outro, é diferenciar formas de preservação da intimidade que contribuem para o fortalecimento da integridade – física e nem psíquica – dos indivíduos e para sua autonomia e formas de preservação da intimidade que, evocando o valor da família, reforçam relações de poder que tornam as mulheres e as crianças mais vulneráveis. Não é possível reduzir o problema à oposição entre regulação e ausência de regulação; parece mais produtivo avaliar quanto uma e outra, em tópicos e casos específicos, contribuem simultaneamente para a autonomia individual e a igualdade de gênero.

---

[37] André Gorz, *Métamorphoses du travail*, cit., p. 148.

4
A IGUALDADE E A DIFERENÇA

Luis Felipe Miguel

A igualdade é a reivindicação "óbvia" levantada por qualquer movimento que queira falar em nome de grupos oprimidos. Mesmo o liberalismo nasceu afirmando um credo igualitário, negando legitimidade às prerrogativas aristocráticas. Abolicionistas, antirracistas, socialistas e democratas expandiram as exigências da equidade, dirigindo o foco para diferentes tipos de assimetrias e questionando as limitações da ordem liberal em realizar seu programa. Em todos os casos, há a afirmação da igualdade essencial entre todos os seres humanos – seres iguais necessariamente devem gozar de direitos iguais. Se não é possível sustentar uma desigualdade de base entre as pessoas, então é difícil impedir o acesso de algumas delas aos direitos.

Também o movimento feminista foi erigido tendo a igualdade como bandeira fundamental. Desde as primeiras manifestações de inconformidade com a dominação masculina, as mulheres reivindicam acesso a liberdades iguais àquelas de que os homens desfrutam. Essa igualdade de direitos é embasada na afirmação da igualdade fundamental entre homens e mulheres. Mulheres e homens são iguais em sua humanidade comum – ou, argumento frequente até meados do século XIX, por terem sido criados à imagem e semelhança do mesmo deus. As autoras feministas ou pré-feministas vão enfatizar sobretudo que as mulheres são iguais aos homens na capacidade intelectual, no potencial de contribuição para a sociedade e na virtude, contrapondo-se às visões que, de Aristóteles a Rousseau, legitimavam a inferioridade feminina como fundada numa menor capacidade natural, bem como à mitologia judaico-cristã que, de Eva em diante, apresenta as mulheres como perversas e inconfiáveis. Quanto à diferença em força física, ela também é atribuída à educação, ou lembra que a marca do progresso da civilização é o declínio da importância da força, argumento presente em Wollstonecraft[1].

---

[1]   Mary Wollstonecraft, *A vindication of the rights of woman*, cit., cap. 2 e 3.

No entanto, a igualdade reivindicada vai ser entendida como a busca pela inserção numa universalidade que não é neutra – já está preenchida com as características do "masculino". As mulheres querem ser cidadãs, mas a própria ideia de cidadania foi construída tomando como base a posição do homem (e, em particular, do homem branco e proprietário) numa sociedade marcada por desigualdades de gênero, bem como de raça e classe. Na Grécia antiga, era marcante a oposição entre *polis*, espaço do exercício coletivo da liberdade, franqueado apenas aos cidadãos, e *oikos*, o lar, espaço da produção e da reprodução da vida material, ao qual ficavam restritos escravos e mulheres. Ser capaz de libertar-se das obrigações do *oikos* era condição para chegar à *polis*. O cidadão do liberalismo europeu, que inicialmente era apenas o homem proprietário, enfrentava exigências similares. Sua inserção no espaço público presumia que os problemas da esfera doméstica estivessem resolvidos de antemão. Muitas feministas do século XIX não encontravam outra solução para o dilema que não fosse delegar as tarefas domésticas às criadas, tentando chegar a uma solução para o problema da exclusão de gênero que, além de reforçar a exclusão de classe, também era parcial (já que as criadas também eram mulheres).

A partir do final do século XX, correntes importantes do pensamento feminista recusarão o universalismo em favor de algo que vai ser chamado de "política da diferença"[2]. Há, na base dessa postura, uma crítica ao liberalismo, que sempre se afirmou como uma filosofia da universalidade. Esse discurso, que apela a valores universais e à humanidade comum de todas as pessoas, serve, com frequência, para neutralizar a compreensão do impacto que as desigualdades concretas têm sobre a possibilidade de agência autônoma dos diferentes indivíduos. Ao mesmo tempo, porém, pensadores radicais consideram que abrir mão do universal implica a incapacidade de apresentar uma alternativa compreensiva à ordem liberal vigente[3]. Afinal, a afirmação de que a ordem social deve beneficiar a todos, sem privilégios, sempre foi característica dos movimentos progressistas, bem como a defesa intransigente da noção da igualdade entre todos os seres humanos.

Um exemplo particularmente importante da aceitação do masculino como espelho do universal está na própria Simone de Beauvoir. Muitas autoras

---

[2]   Iris Marion Young, *Justice and the politics of difference*, cit.
[3]   Cf. Slavoj Žižek, *En defensa de la intolerancia* (Madri, Sequitur, 2009).

indicaram como, em *O segundo sexo*, o horizonte apontado é a adoção de comportamentos idênticos aos dos homens na sociedade atual, na relação com a sexualidade, com a família ou com a atividade profissional. Autoras tão distantes entre si quanto Jean Bethke Elshtain e Catharine MacKinnon compartilham dessa interpretação. Para a primeira, Beauvoir encarna um tipo de "feminismo repressivo", segundo o qual a emancipação das mulheres "requer que elas neguem dimensões inteiras de sua vida e experiências"[4]. Já MacKinnon questiona a maneira naturalizada pela qual Beauvoir aplica categorias de análise que foram construídas pelas relações de dominação masculina. O trecho de *O segundo sexo* em que a divisão sexual do trabalho é apresentada como uma das causas da dominação masculina leva ao seguinte comentário:

> Por que as tarefas a que a mulher dedicou suas forças não lhe deram supremacia sobre o homem ou igualdade com ele? Por que seu trabalho não foi visto como produtivo? [...] Por que a relação da mulher com os processos misteriosos da vida é considerada escravidão, enquanto a do homem (a caça, por exemplo) é interpretada como conquista da natureza?[5]

Ou seja, não basta exigir o acesso das mulheres às atividades próprias dos homens. É necessário também redefinir os critérios de valoração que fazem com que algumas atividades (as deles) sejam consideradas mais importantes e mais dignas do que outras (as delas) e que fazem com que algumas formas de comportamento (as deles) sejam vistas como universalizáveis, enquanto outras (as delas) apareçam como inevitavelmente ligadas a uma posição social em particular.

O próprio corpo feminino e seus processos são valorados negativamente por Beauvoir: ela passa a impressão de que são "a anatomia e a fisiologia da mulher, *como tais*, que determinam, ao menos em parte, sua condição de ausência de liberdade"[6]. A gravidez e a amamentação são encaradas como formas de alienação; os seios, que ela chama de "glândulas mamárias", "não desempenham nenhum papel na economia individual da mulher e podem ser extirpados em

---

4   Jean Bethke Elshtain, *Real politics: at the center of everyday life* (Baltimore, The Johns Hopkins University Press, 1997), p. 173; cf. também: idem, *Public man, private woman*, cit., p. 309.

5   Catharine A. MacKinnon, *Toward a feminist theory of the State*, cit., p. 55.

6   Iris Marion Young, "Throwing like a girl: a phenomenology of feminine body comportment, motility, and spaciality", em *Throwing like a girl and other essays in feminist philosophy and social theory* (Bloomington, Indiana University Press, 1990), p. 143. A edição original é de 1980.

qualquer momento de sua vida"[7]. A ideia de uma opressão masculina fundada na biologia é radicalizada em algumas abordagens no feminismo, como na obra de Sulamith Firestone, que prega a reprodução artificial como caminho para a liberação das mulheres e que enuncia com clareza seu débito em relação ao pensamento de Beauvoir[8].

O caminho de Firestone, capaz de encontrar dominação sobre as fêmeas entre espécies animais não humanas, é minoritário. A maior parte do pensamento feminista rejeita a relação determinista entre biologia e opressão, entendendo que os fatos biológicos, como gravidez, parto ou amamentação, não têm um sentido fixo – são ressignificados de acordo com a ordem social[9]. Mas isso não quer dizer que os processos biológicos próprios das mulheres devam ser anulados, o que implicaria, mais uma vez, a adaptação a espaços e instituições que se estabelecem a partir do modelo masculino. Um exemplo simples diz respeito à possibilidade de amamentação – a única relação com a criança que é exclusiva das mulheres – em locais de trabalho ou em assembleias políticas, um problema com o qual o modelo masculino "universal" não tinha de lidar. Outra questão crucial se refere às creches, já que, nas nossas sociedades, as mulheres são as principais responsáveis pelo cuidado com os filhos e a ausência desse tipo de serviço é um obstáculo, por vezes instransponível, para a participação política, a escolarização ou o ingresso no mercado de trabalho.

O FEMINISMO E O CORPO

As primeiras reivindicações dos movimentos de mulheres, nos séculos XVIII e XIX, podem ser entendidas como exigências de acesso a espaços que eram exclusivos dos homens, como a educação ou a política. Logo, porém, o controle da mulher sobre o próprio corpo ganhou destaque na agenda feminista. Foi percebida a centralidade que a regulação da sexualidade feminina e sua

---

[7] Simone de Beauvoir, *Le deuxième sexe*, cit., v. I, p. 57.

[8] Sulamith Firestone, *The dialectic of sex*, cit. Outras leituras de Beauvoir optam por ressaltar aspectos opostos de sua obra, na qual é privilegiada uma análise crítica da relação entre fisiologia, identidades e dominação. Cf. Toril Moi, *What is a woman? And other essays* (Oxford, Oxford University Press, 1999).

[9] Catharine A. MacKinnon, *Toward a feminist theory of the State*, cit., p. 58.

contraface, o direito de acesso dos homens ao corpo das mulheres, tinham na manutenção da dominação masculina.

Muito do feminismo se referencia por esse entendimento, das jornadas de Josephine Butler contra a medicalização compulsória das prostitutas britânicas no século XIX ao "meu corpo me pertence" das militantes contemporâneas. A luta pelo direito ao aborto, pela tipificação do crime de estupro dentro do casamento, contra o duplo padrão da moral sexual, pelo direito à busca pelo prazer ou contra a objetificação das mulheres são diferentes facetas da compreensão básica de que cada mulher deve controlar o próprio corpo. Afinal, mesmo o pensamento liberal, desde os primórdios, estabelece a soberania sobre o corpo – o "ser dono de si mesmo" – como o requisito básico para o acesso à cidadania[10]. Por outro lado, uma fenomenologia feminista tenta entender que a experiência de ser mulher – a consciência produzida pela distinção de gênero – se estabelece sobre um corpo que é distintamente feminino. É necessário, então, que a reflexão política leve em conta também a "experiência corporal feminina", como diz Young: menstruação, menopausa, gestação, parto, aleitamento, aborto[11]. O feminismo denuncia que, negligenciados por um "universal" que se estabelece a partir da vivência (e, portanto, do corpo) dos homens, esses fenômenos tendem a ser vistos como *handicaps* que as mulheres precisam superar para entrar na esfera pública.

No entanto, a centralidade concedida ao corpo é reivindicada por vertentes opostas do feminismo. Para Judith Butler, o corpo é crucial, mas desprovido de materialidade, sendo um efeito de teias de discursos[12]. Essa posição "pós-moderna" é criticada como uma forma de idealismo, que despe o corpo de sua corporalidade – no final das contas, só as construções simbólicas importam. Por vezes rotulada como "feminismo material", essa crítica a

---

[10] C. B. Macpherson, *The political theory of possessive individualism: Hobbes to Locke* (Oxford, Oxford University Press, 1962)

[11] Iris Marion Young, *On female body experience*, cit.

[12] Judith Butler, *Bodies that matter: on the discursive limits of "sex"* (Nova York, Routledge, 1993).

> Butler reúne autoras diversas, que têm em comum a proposta de agregar à reflexão feminista o corpo e o mundo natural, na sua concretude, que é sempre ressignificada pelos discursos, mas não se reduz a eles[13].

Da mesma maneira que os fenômenos biológicos não determinam a posição social de homens e mulheres, a igualdade entre os sexos não exige que as mulheres adotem o padrão de comportamento que é hoje visto como masculino – agressividade sexual, *éthos* competitivo, racionalidade fria, desprezo aos afetos. A recusa desse caminho pode, porém, tanto levar à busca por padrões novos, não marcados pelas relações de dominação, ou mesmo à dissolução da ideia de padrão, numa aposta radical nas singularidades individuais, quanto à afirmação da positividade do "feminino", visto como um conteúdo a ser resgatado de suas manifestações hoje maculadas pela desigualdade de gênero.

A positividade da diferença feminina foi anunciada com força pela corrente do chamado "pensamento maternal", ou "política do desvelo", que eclodiu nos anos 1980 com as obras de Jean Bethke Elshtain, Sara Ruddick e Nancy Hartsock, entre outras[14]. Trata-se de uma corrente importante porque codifica teoricamente um elemento do senso comum que é, muitas vezes, apropriado pelas mulheres com vistas ao próprio benefício – por exemplo, na política, quando suas pretensas características de afetividade, sensibilidade maternal e desinteresse são opostas às práticas corruptas e violentas dos homens[15].

De acordo com a corrente, as mulheres seriam caracterizadas por um senso de justiça diferenciado, que pode e deve ser valorizado socialmente. A referência fundadora é o livro da psicóloga estadunidense Carol Gilligan, *In a different voice*, baseado, por sua vez, na revisão que a antropóloga Nancy Chodorow fez dos escritos de Sigmund Freud sobre o impacto psicológico das diferenças anatômicas entre os sexos. O pai da psicanálise julgava que o

---

[13] Cf. Stacy Alaimo e Susan Hekman (orgs.), *Material feminisms* (Bloomington, Indiana University Press, 2008).

[14] Jean Bethke Elshtain, *Public man, private woman*, cit.; Sara Ruddick, *Maternal thinking*, cit.; Nancy C. M. Hartsock, "The feminist standpoint", cit.

[15] As sufragistas estadunidenses já associavam a conquista do voto feminino à moralização da nação, numa linha de argumento muito similar à apresentada aqui (cf. Angela Y. Davis, *Women, race & class*, cit., p. 138).

temor da castração desempenhava um papel crucial na formação do superego; as mulheres, portanto, estavam fadadas a um desenvolvimento incompleto da moralidade. Para Chodorow, em vez da diferença anatômica, o que interessa é o fato de que as mulheres são as principais responsáveis pelo cuidado com os filhos. Assim, a menina possui um modelo (feminino) presente, a mãe, enquanto o menino possui um modelo (masculino) ausente, o pai. Isso faz com que as características masculinas do menino sejam desenvolvidas na forma de regras abstratas; já a menina desenvolve suas características femininas a partir de relações concretas e emocionais[16]. As mulheres possuiriam maior sensibilidade para as necessidades alheias, recusando a abordagem fria que é própria da abordagem masculina da justiça.

Esse é o ponto que Gilligan desenvolve, por meio de entrevistas em profundidade com homens e mulheres. Ela vai recusar o essencialismo em sua abordagem, afirmando que o padrão moral alternativo centrado nas relações e no cuidado, que descreve em seu livro, "é caracterizado não por gênero, mas por tema", e que "sua associação com as mulheres é [apenas] uma observação empírica"[17]. No entanto, a apropriação da obra de Gilligan e de Chodorow resvalou com frequência para uma postura essencialista. Como observou Antônio Flávio Pierucci, nos meios de esquerda "não se ousa dizer que elas [as diferenças] são naturais; diz-se que são diferenças culturais, só que irredutíveis. O que, se não dá no mesmo, dá quase"[18].

O "pensamento maternal" e a "política do desvelo" afirmam que as mulheres trazem um aporte diferenciado à esfera pública, por estarem acostumadas a cuidar dos outros e a velar pelos mais indefesos, quando não pelo desejo de legar um mundo mais seguro para seus filhos. Com uma presença feminina mais expressiva nas esferas de poder, haveria o abrandamento do caráter agressivo da atividade política. As mulheres trariam para a política uma valorização da solidariedade e da compaixão, além da busca genuína pela paz; áreas hoje desprezadas nos embates políticos, como amparo social, saúde, educação ou meio ambiente, ganhariam atenção renovada. A presença feminina possibilitaria a superação da "política de interesses", egoísta e masculina.

---

[16] Nancy Chodorow, *The reproduction of mothering*, cit.

[17] Carol Gilligan, *In a different voice*, cit., p. 2.

[18] Antônio Flávio Pierucci, *Ciladas da diferença* (São Paulo, Editora 34, 1999), p. 111.

Desde então, a corrente tem sido criticada como uma armadilha que segrega as mulheres em posições predeterminadas e subalternas do campo político[19]. E também por legitimar o insulamento tanto de mulheres quanto de homens em papéis e comportamentos estereotipados, que passam a ser vistos como complementares, abdicando, assim, do enfrentamento com os mecanismos centrais de reprodução das hierarquias de gênero. O debate entre as abordagens maternalistas e suas críticas expõe as dificuldades para a incorporação de atores que foram mantidos fora ou na periferia dos espaços decisórios, muitas vezes colocados entre a alternativa de aderir às práticas e à agenda dominante ou caricaturar a si próprios para preservar o que lhes seria singular. Por isso, da perspectiva de autoras identificadas com as abordagens maternalistas, o que está em questão é o preço pago pela inclusão política das mulheres: para que se tornassem cidadãs, foi demandado "que sua voz específica desse lugar ao discurso simbólico dominante"[20].

O apelo à noção de uma voz especificamente feminina, porém, está perigosamente próximo da naturalização de identidades que decorrem de processos históricos de oposição entre a esfera pública e à privada. É uma voz que está associada ao insulamento das mulheres na esfera doméstica e à sua responsabilidade exclusiva com o cuidado e a atenção aos mais vulneráveis. Nas versões mais extremadas, chega-se ao feminismo conservador de uma autora como Jean Bethke Elshtain, para quem a relativa ausência de mulheres nos espaços decisórios pode não ser um grande problema, já que elas exercem o "poder informal" dentro do lar[21].

A tensão entre valorização da diferença e afirmação da igualdade de gênero permeia também a relação do feminismo com o multiculturalismo, corrente que questiona a imposição dos valores ocidentais como se tivessem curso universal e afirma a necessidade de garantir a vigência de modos de vida minoritários. É evidente a relação com a crítica à universalização do comportamento

---

[19] Mary Dietz, "Citizenship with a feminist face", cit.; Susan Moller Okin, *Justice, gender, and the family*, cit.; Christine Delphy, "Feminismo e recomposição da esquerda", *Revista Estudos Feministas*, v. 2, n. 1, 1994; o original é de 1992; Luis Felipe Miguel, "Política de interesses, política do desvelo", cit.

[20] Silvia Vegetti Finzi, "Female identity between sexuality and maternity", em Gisela Bock e Susan James (orgs.), *Beyond equality and difference: citizenship, feminist politics, female subjectivity* (Londres, Routledge, 1992), p. 139.

[21] Jean Bethke Elshtain, "The power and powerlessness of women", cit.

"masculino"; assim, pode-se dizer que feminismo e multiculturalismo guardam afinidades eletivas. No entanto, as culturas minoritárias são frequentemente aquelas marcadas de maneira mais ostensiva pela dominação masculina. Num texto provocativo, mas lúcido, Susan Moller Okin indicou que o multiculturalismo era "ruim para as mulheres", defendendo uma primazia absoluta do avanço da igualdade de gênero sobre a preservação de tradições culturais, o que suscitou uma controvérsia que ainda não se esgotou[22]. Para complicar ainda mais o quadro, a pretensa proteção aos direitos das mulheres tornou-se uma justificativa comum para intervenções imperialistas, sobretudo no Oriente Médio, como se, mais do que com o petróleo ou outros objetivos geopolíticos, as potências ocidentais estivessem preocupadas em livrar afegãs ou iraquianas do uso da burca, do casamento forçado ou do apedrejamento por adultério.

MULTICULTURALISMO

O termo "multiculturalismo" reveste um conjunto heterogêneo de correntes, que têm em comum o entendimento de que as sociedades ocidentais, apesar de seu credo oficial de tolerância, estigmatizam as culturas minoritárias em seu seio e impedem que elas floresçam. Ao afirmar a vigência de regras universais e válidas para todos, ignoram que elas tomam como pressupostos valores e visões de mundo que não são universais, mas próprios do Ocidente. São regras opressivas para aqueles que não compartilham dessa visão dominante.

Subjacente a essa percepção está o entendimento de que as "culturas" ocupam uma posição central como comunidades de sentido. Assim, o multiculturalismo guarda proximidades com outra corrente filosófico-política, o chamado "comunitarismo", que faz uma crítica em geral retrógrada ao liberalismo, colocando o pertencimento de grupo acima da promessa de autonomia individual.

As questões colocadas pelo multiculturalismo têm um apelo prático muito direto: estudantes muçulmanas podem usar véu?

---

[22] Susan Moller Okin et al., *Is multiculturalism bad for women?* (orgs. Joshua Cohen, Matthew Howard e Martha C. Nussbaum. Princeton, Princeton University Press, 1999).

> Pais *amish* podem se recusar a mandar seus filhos para a escola? Motoqueiros *sikh* estão isentos de usar capacete? Fiéis do Santo Daime têm o direito de consumir ayahuasca? Em alguns desses casos, a questão é eximir de obrigações os integrantes de grupos específicos e o problema é saber o que dá a um hábito ou uma crença o *status* de uma "cultura" com peso suficiente para permitir tal privilégio. Em outros, os mais problemáticos para o feminismo, está em jogo a manutenção de relações de subordinação dentro desses grupos.
>
> As críticas ao multiculturalismo partem, em geral, do apego ao valor liberal do individualismo – a boa sociedade é aquela em que cada indivíduo tem mais autonomia para decidir a própria vida – e da valorização da noção de igualdade[23]. São elementos, como visto, muito caros ao feminismo. O diálogo crítico entre pensadores do feminismo e do multiculturalismo, que ganhou força a partir dos últimos anos do século XX, continua expondo tensões e discordâncias.

A discussão com o multiculturalismo envolve também questões relativas à identidade das mulheres, bem como à sua capacidade de agência autônoma em situação de subalternidade. Uma reflexão sobre as demandas cruzadas do feminismo e do multiculturalismo, que considera argumentos como os de Okin, mas também busca tornar mais complexo o entendimento sobre as culturas minoritárias, tem sido levada a cabo por autoras como Anne Phillips e Martha Nussbaum[24]. Se a aceitação acrítica da defesa da legitimidade dos grupos de cultura pode impedir a reflexão sobre as desigualdades internas a esses grupos e promover uma visão cristalizada da cultura, reificada em práticas que expressam sobretudo os interesses de alguns dos integrantes do grupo – com frequência e prevalentemente, os homens –, a recusa a considerar as diferenças entre os grupos como uma questão para a democracia pode

---

[23] Cf. Brian Barry, *Culture and equality* (Cambridge-MA, Harvard University Press, 2001).

[24] Anne Phillips, *Multiculturalism without culture* (Princeton, Princeton University Press, 2007); Idem, *Gender and culture* (Oxford, Polity, 2011); Martha C. Nussbaum, *Sex and social justice* (Oxford, Oxford University Press, 1999).

colaborar para reproduzir as hierarquias entre eles. Os indivíduos podem não ser determinados pelo pertencimento a grupos ou definir-se em relação a ele, "mas eles não têm como escapar das formas de discriminação e das desvantagens infligidas a 'seus' grupos"[25].

A recusa à universalização do masculino (ou do ocidental), com a valorização da diferença, é importante para evitar a aceitação acrítica de um conjunto de valores que está, ele próprio, vinculado às relações de dominação. Ela contribuiu, também, para o aprofundamento da discussão sobre justiça. Autoras feministas foram essenciais para a crítica do "paradigma distributivo" da justiça, segundo o qual a justiça se resolve por meio da distribuição equitativa de recursos ou de direitos[26]. O paradigma distributivo estaria na raiz de todas as teorias dominantes da justiça, tendo ganhado sua formulação mais sofisticada com a publicação do importante tratado de John Rawls[27].

Ao lado da redistribuição, impõe-se a necessidade de reconhecimento do valor de modos de vida diversos. A fórmula bidimensional "redistribuição mais reconhecimento" foi apresentada por Nancy Fraser[28] e gerou uma importante polêmica, sendo acusada de operar com uma dicotomia simplista entre economia e cultura[29]. De acordo com os críticos, demandas econômicas, por redistribuição da riqueza material, e demandas culturais, pelo reconhecimento do valor e da legitimidade de vivências, crenças e modos de vida hoje estigmatizados, estão intimamente ligadas.

Fraser respondeu que sua distinção analítica não indica uma cesura radical entre as duas dimensões, nem a ausência de correlação entre elas. Mas permite identificar os elementos que compõem as formas de discriminação e modular as respostas a casos diferenciados. Ela observou que os homossexuais podem sofrer preconceito no mercado de trabalho, implicando perdas econômicas, mas em geral são prejudicados sobretudo pela intolerância em relação a seu modo de

---

[25] Anne Phillips, *Multiculturalism without culture*, cit., p. 15.

[26] Iris Marion Young, *Justice and the politics of difference*, cit.

[27] John Rawls, *A theory of justice* (Cambridge-MA, Harvard University Press, 1971).

[28] Nancy Fraser, *Justice interruptus*, cit. O artigo original de Fraser foi publicado em 1995.

[29] Cf. Iris Marion Young, "Unruly categories: a critique of Nancy Fraser's dual system theory", *New Left Review*, n. 222, 1997; Anne Phillips, "From inequality to difference: a severe case of displacement?", *New Left Review*, n. 224, 1997; Judith Butler, "Merely cultural", *Social Text*, n. 52-53, 1997; Nancy Fraser, "A rejoinder to Iris Young", *New Left Review*, n. 223, 1997; idem, "Heterosexism, misrecognition and capitalism: a response to Judith Butler", *Social Text*, n. 52-53, 1997.

vida. A subcultura da classe trabalhadora é desvalorizada, mas as principais injustiças estão vinculadas à exploração do trabalho e à divisão da riqueza material. Já as mulheres, tal como as minorias étnicas, encontram-se num meio-termo e padecem de um mix mais equilibrado de injustiças, incluindo a desvalorização simbólica de suas formas de expressão e comportamento, o menor controle sobre os bens econômicos e a discriminação no emprego.

Apesar das críticas, a fórmula bidimensional da justiça é útil por indicar, de forma gráfica, as exigências paralelas da igualdade e da diferença. Ela também aponta a necessidade de superar tanto o economicismo das interpretações vulgares do marxismo, que julgam que todos os problemas podem ser reduzidos a problemas de distribuição da riqueza, quanto o idealismo das "teorias do reconhecimento", hoje em voga, que transformam as disputas materiais em embates por reconhecimento intersubjetivo[30].

Ao mesmo tempo, a incorporação do valor da diferença introduz um novo conjunto de problemas, com os quais o discurso da igualdade "simples" não precisava lidar. São as "ciladas da diferença": na história das ideias políticas, a diferença sempre foi empunhada pelas correntes conservadoras e elitistas, como a manifestação de desigualdades naturais que legitimavam as hierarquias sociais. E o novo discurso da compatibilização da igualdade com a diferença é uma "teorização toda feita em filigrana", que impede qualquer simplificação e, portanto, não nutre o ativismo político[31].

Mas é importante anotar que o próprio conceito de igualdade também se tornou mais complexo na filosofia política do que era até o começo do século XX[32]. Bandeiras históricas do feminismo, como a licença-maternidade, já incorporavam a percepção de que o princípio da igualdade entre todos os seres humanos não exige desatenção a especificidades. Mas desde então ampliou-se o entendimento de que os indivíduos são diferentes entre si, por seus talentos, deficiências e preferências, o que complica a relação entre distribuição de recursos, igualdade

---

[30] Axel Honneth, *Luta por reconhecimento: a gramática moral dos conflitos sociais* (São Paulo, Editora 34, 2009; a edição original é de 1992); idem, "Redistribution as recognition: a response to Nancy Fraser", em Nancy Fraser e Axel Honneth, *Redistribution or recognition? A political-philosophical exchange* (Londres, Verso, 2003).

[31] Antônio Flávio Pierucci, *Ciladas da diferença*, cit., p. 37.

[32] Para resenhas da discussão, ver Anne Phillips, *Which equalities matter?* (Londres, Polity, 1999); Alex Callinicos, *Equality* (Cambridge, Polity, 2000).

de capacidades e bem-estar subjetivo[33]. Uma pessoa com uma deficiência física pode precisar de mais recursos para obter o mesmo – em termos de autonomia, de possibilidade de autorrealização ou de satisfação – que outra sem a deficiência. Ainda que se aceite um princípio de reparação abstrato, sua concretização enfrenta problemas. Como calcular a reparação justa? O que conta como uma deficiência merecedora de compensação? Deficiências provocadas pelo próprio indivíduo (sequelas do uso de drogas, por exemplo) também devem ser socorridas pela sociedade?

Por outro lado, injunções de eficiência podem justificar desigualdades que ampliem a satisfação geral, como no célebre "princípio da diferença" de John Rawls[34]. Se fosse verdade, como dizem os economistas liberais, que o desenvolvimento da sociedade depende da inovação promovida por empresários em busca de lucro, então a acumulação de riqueza por eles estaria justificada, já que acabaria por beneficiar a todos. Ou, de forma menos radical, talentos especiais justificariam um maior investimento na educação de seus possuidores ou maior remuneração. De um jeito ou de outro, o imperativo da igualdade é relativizado e precisa ser combinado com a busca por outros bens sociais.

Assim, o discurso da valorização da diferença implica reduzir a centralidade, dentro do feminismo, de um valor, a igualdade, que já não é tão unívoco em si. Trata-se de um movimento teórico que possui fortes implicações para a prática feminista. Afirmar a existência de uma diferença que estrutura o comportamento das mulheres leva a um tipo de discurso que pode ser apropriado pelo antifeminismo, contribuindo para apresentar a posição subalterna das mulheres na sociedade como um efeito de suas escolhas autônomas. De alguma maneira, permite a atualização da velha percepção de que as posições de homens e mulheres refletem não a dominação, mas pretensas inclinações naturais diversas de um e outro sexos. Esse é o risco presente nas abordagens maternalistas.

Uma demonstração precoce desse risco, muito citada na literatura, é o chamado "caso Sears", de 1978. Levada aos tribunais estadunidenses por práticas discriminatórias, que impediam que suas funcionárias obtivessem promoções, a empresa apoiou-se numa especialista "feminista" para afirmar que eram elas

---

[33] Ronald Dworkin, *Sovereign virtue: the theory and practice of equality* (Cambridge-MA, Harvard University Press, 2000); Amartya Sen, *The idea of justice* (Cambridge-MA, Harvard University Press, 2009).

[34] John Rawls, *A theory of justice*, cit.

mesmas, as mulheres, menos competitivas e menos focadas no mundo do trabalho. Menos interessadas em fazer carreira e mais em manter um equilíbrio entre a vida profissional e a pessoal, elas não teriam interesse em ser promovidas[35]. O discurso da diferença foi utilizado para legitimar uma prática empresarial discriminatória. E mesmo que as funcionárias da Sears expressassem preferências como as alegadas pela corporação, seria necessário investigar a estrutura de incentivos e obstáculos que contribuiu para que elas assumissem tal posição.

Essa ressalva é importante porque, de fato, mulheres e homens tendem a apresentar prioridades diferenciadas, mas isso pode ser visto, em muitos casos, como um efeito das relações de dominação. É a própria Nancy Fraser quem alerta para o risco de ver a diferença como sempre positiva e necessariamente vinculada à variação cultural, ignorando como ela reflete também a desigualdade econômica e política[36] – um alerta que compõe também as críticas ao pensamento maternal, mencionadas anteriormente. Assim como a igualdade não pode ser transformada na "mesmice" (*sameness*), como argumentam as teóricas da diferença, cabe lembrar que *as diferenças são diferentes entre si*: algumas precisam ser valorizadas, outras mereceriam ser abolidas[37].

Isso não significa dizer que todas as pessoas devem necessariamente priorizar a carreira em detrimento da vida pessoal ou almejar ocupar cargos públicos. O problema é se, em vez de manifestar diferenças individuais, houver padrões que remetem de forma invariável a características de determinados grupos – em particular, de gênero. Como disse Anne Phillips, "se os níveis de participação e envolvimento têm coincidido tanto com diferenças de classe, gênero ou etnicidade, isso deve ser tomado como evidência *prima facie* de desigualdade política"[38]. Ela estava falando da atuação política, mas a observação vale para outros tipos de atividade. A aposta radical das vertentes mais avançadas do feminismo é na desestabilização de qualquer relação fixa entre o sexo biológico e os comportamentos, preferências e papéis sociais. Em suma, na desconstrução da categoria "gênero" e no sonho de "uma sociedade andrógina e sem gênero (embora não

---

[35] Cf. Ruth Milkman, "Women's history and the Sears case", *Feminist Studies*, v. 12, n. 2, 1986; Joan W. Scott, *Gender and the politics of history*. (Nova York, Columbia University Press, 1999; a edição original é de 1989), cap. 3; Antônio Flávio Pierucci, *Ciladas da diferença*, cit., p. 35-49.

[36] Nancy Fraser, *Justice interruptus*, cit., p. 184-5.

[37] Ibidem, p. 204.

[38] Anne Phillips, *The politics of presence* (Oxford, Oxford University Press, 1995), p. 32.

sem sexo), na qual a anatomia sexual é irrelevante para quem a pessoa é, o que faz e com quem faz amor", como escreveu Gayle Rubin[39]. A diferença que se associa à igualdade é aquela que permite a livre expressão das individualidades, não a que aprisiona indivíduos e grupos em posições estereotipadas.

---

[39] Gayle Rubin, "The traffic of women: notes on the 'political economy' of sex", em Linda Nicholson (org.), *The second wave: a reader in feminist theory* (Nova York, Routledge, 1997), p. 54. O artigo original foi publicado em 1975.

5
A IDENTIDADE E A DIFERENÇA

Luis Felipe Miguel

A discussão sobre a diferença ressurge, de outra forma, no debate sobre a identidade feminina. A mulher é o sujeito do feminismo, mas a categoria "mulher" foi construída em meio a relações marcadas pelo patriarcado e pela dominação masculina[1]. Muito do pensamento feminista inicial ainda adere, de forma pouco crítica, às noções de maior sensibilidade das mulheres, como fazem John Stuart Mill ou Harriet Taylor Mill; ou, pelo menos, à ideia de que as mães possuem uma ligação especial e uma responsabilidade especial para com os filhos, diferente dos pais, o que está presente até nos escritos de Mary Wollstonecraft. Em suma, um ideal convencional de *feminilidade* permanece atuante, mesmo entre autoras e autores capazes de compreender o trabalho social de conformação das mulheres aos papéis tradicionais a elas atribuídos.

A solução encontrada para o problema passou pela distinção entre sexo e gênero, que se tornou central para o feminismo, com o primeiro termo se referindo ao fenômeno biológico e o segundo, à construção social. O par sexo/gênero codifica o "não se nasce mulher, torna-se mulher" de Simone de Beauvoir: o que aceitamos como "a feminilidade" não é a expressão de uma natureza, mas o resultado do trabalho de pressões, constrangimentos e expectativas sociais. Para citar uma formulação que se tornou canônica, o gênero "é a organização social da diferença sexual", o que não significa que reflita algo fixo; ao contrário, "gênero é o conhecimento que estabelece sentidos para as diferenças físicas"[2]. Entendido dessa forma, gênero não é uma "identidade", mas uma "posição social e atributo das estruturas sociais"[3].

---

[1] Duas úteis revisões dessa discussão, por caminhos diferentes do que é seguido aqui, são encontradas em Claudia de Lima Costa, "O sujeito no feminismo: revisitando os debates", *Cadernos Pagu*, n. 19, 2002, e Silvana Aparecido Mariano, "O sujeito do feminismo e o pós-estruturalismo", *Revista Estudos Feministas*, v. 13, n. 3, 2005.

[2] Joan W. Scott, *Gender and the politics of history*, cit., p. 2.

[3] Mala Htun, "What it means to study gender and the State", *Gender & Society*, v. 1, n. 1, 2005, p. 157 (ênfases suprimidas).

Algumas autoras questionam o uso de "sexo" como categoria dicotômica pelo feminismo. Chamam a atenção para os casos de hermafroditismo e de indecisão sexual, por vezes apresentando estimativas infladas de sua incidência na população[4]. A principal objeção, no entanto, não é de caráter empírico. A distinção sexo/gênero manteria um ponto fixo que permitiria a continuidade da opressão, "pois a categoria 'sexo' é o produto de uma sociedade heterossexual que impõe às mulheres a rígida obrigação da reprodução da 'espécie', isso é, a reprodução da sociedade heterossexual", nas palavras da ativista e pensadora francesa Monique Wittig[5]. O sexo precisaria ser desligado de seu fundamento biológico, entendido como construto social e, afinal, tornado indiferenciável do gênero. De maneira simplificada, se para os oponentes do feminismo não há gênero, só sexo, já que as diferenças entre mulheres e homens refletiriam uma realidade biológica, para essas feministas não há sexo, só gênero, já que mesmo a pretensa realidade biológica da diferenciação sexual seria uma construção cultural.

A maior parte do pensamento feminista, porém, não tem problema em aceitar o "sexo" como uma variável dicotômica simples e perene. O sexo biológico é responsável pelo dimorfismo sexual da espécie humana e pela possibilidade da gravidez e da amamentação, exclusiva das mulheres. Já as características de temperamento e de comportamento que são associadas à feminilidade (e que servem para justificar a posição diferenciada de mulheres e homens na sociedade) pertencem ao universo do gênero, resultado da ação de instituições e práticas sociais voltadas a garantir sua permanente reprodução e naturalização. De fato, o feminismo tem enfrentado historicamente todas as correntes que buscam estabelecer um embasamento pretensamente científico para a ideia de que o comportamento de homens e mulheres é determinado pela natureza, desde a psicanálise até as correntes mais contemporâneas da sociobiologia. Mesmo o "instinto maternal", que para o discurso convencional é a quintessência da natureza da mulher, foi revelado como produto histórico[6].

---

[4]   Anne Fausto-Sterling, "The five sexes: why male and female are not enough", *The Sciences*, mar.--abr., 1993; cf. também: Judith Lorber, *Paradoxes of gender* (New Haven, Yale University Press, 1994).

[5]   Monique Wittig, "The category of sex", *Feminist Issues*, v. 2, n. 2, 1982, p. 66-7.

[6]   Elisabeth Badinter, *Un amour en plus: histoire de l'amour maternel* (Paris, Flammarion, 1980).

O deslocamento do sexo para o gênero acrescenta ambiguidade ao sujeito do feminismo – a mulher em nome de quem se fala é, ela mesma, produto das relações de dominação que se deseja abolir. Daí a polêmica vinculada ao pensamento maternal, discutida no capítulo anterior. E, na direção oposta, a posição de feministas pós-estruturalistas, que repelem qualquer tentativa de fixação de uma identidade feminina como redutora e repressiva, como Julia Kristeva ou Judith Butler[7].

O alerta de que a categoria "mulheres" é "produzida e reprimida pelas mesmas estruturas de poder por intermédio das quais busca-se a emancipação"[8] indica o problema de trabalhar nos termos de uma dicotomia que é fundante do próprio sexismo. Mas é menos razoável a derivação principal que Butler extrai daí, a de que um sistema binário de gêneros não precisa corresponder a um sistema binário de sexos, uma vez que a relação sexo/gênero não é necessária nem automática. "A hipótese de um sistema binário dos gêneros encerra implicitamente a crença numa relação mimética entre gênero e sexo, na qual o gênero reflete o sexo ou é por ele restrito."[9]

Essa afirmação desloca a discussão para um campo irrelevante, pois o que está em jogo não é uma *hipótese*. Nós *vivemos* um sistema binário dos gêneros, historicamente construído, reproduzido de forma cotidiana pelas práticas sociais hegemônicas, no qual cada gênero está intimamente associado a um sexo biológico. O feminismo, assim, não se estabelece contra uma hipótese, mas contra o modelo dado de relação sexo/gênero. Por outro lado, o gênero refletir "o sexo ou ser por ele restrito" é próprio do sentido de gênero, que se apresenta como desdobramento necessário das diferenças sexuais. Sem essa vinculação, podemos ter algum tipo de "performance", mas não há por que considerá-la "gênero". Mesmo as performances transgressoras que tanto fascinam Butler – *drag queens, femme/butch* – só ganham esse estatuto na medida em que parodiam o sistema binário, isto é, a relação mimética estabelecida entre sexo e gênero.

Sem querer estender a discussão, cabe observar que a opção de Butler por discutir os papéis de gênero por meio da categoria da "performance" é, em si

---

7   Julia Kristeva, "Women's time", *Signs*, v. 7, n. 1, 1981 a edição original é de 1979; Judith Butler, *Problemas de gênero: feminismo e subversão da identidade* (Rio de Janeiro, Civilização Brasileira, 2003; a edição original é de 1990).

8   Ibidem, p. 19.

9   Ibidem, p. 24.

mesma, problemática. O termo "performance" remete a uma descontinuidade entre o sujeito e seu comportamento. Antes de falar em performance, ela fala em "mascarada", o que reforça esse entendimento. O que significa que há de existir um sujeito anterior ao comportamento, à performance. Assim, curiosamente, Butler recai de forma implícita na noção de uma identidade sexual original, autêntica, que é descolada dos papéis performáticos de gênero.

Por fim, a recusa a conceder qualquer validade à categoria coletiva "mulheres" pode ter interesse acadêmico, mas inviabiliza por completo a atuação do feminismo como movimento político – já que ele deixaria de se referir a qualquer grupo social concreto. Assim, independentemente do impacto das provocações das autoras pós-estruturalistas, o feminismo permanece às voltas com a identificação do seu sujeito, a mulher. A política pós-identitária defendida pela teoria *queer* encerra uma contradição em termos, uma vez que o ponto de partida de toda ação política é a produção de uma identidade coletiva (o que não quer dizer que essa identidade deva ser absoluta, imutável ou irrevogável).

> ## A TEORIA *QUEER*
>
> A filósofa estadunidense Judith Butler é o nome mais conhecido da corrente conhecida como "teoria *queer*". Em inglês, *queer* significa "estranho" ou "desviante" e era um termo depreciativo usado para designar os homossexuais. A partir dos anos 1980, ativistas gays assumiram a palavra para referir a si mesmos, buscando anular seu sentido ofensivo. A teoria *queer* é uma reflexão sobre gênero, que nasce do feminismo e do movimento LGBT, marcada por uma oposição radical à dicotomia homem/mulher. Um ponto de partida é a noção de heterossexualidade compulsória, formulada pela teórica e ativista lésbica Adrienne Rich, que indicava que mesmo no feminismo as relações heterossexuais são consideradas as "naturais", com outros arranjos podendo merecer respeito, mas sempre na qualidade de fugas à regra[10]. A teoria *queer* expande a noção, falando numa "heteronormatividade" que

---

[10]   Adrienne Rich, "Compulsory heterosexuality and lesbian existence", *Signs*, v. 5, n. 4, 1980.

faz com que a heterossexualidade esteja pressuposta nos diversos espaços sociais.

Decorre daí a necessidade de romper com o esquema mental que assume, de forma automática, a dicotomia entre mulher e homem. A teoria *queer* vai incorporar os estudos da bióloga Anne Fausto-Sterling, citados anteriormente, sobre as formas de indefinição ou sobreposição sexual no mundo natural e dar grande destaque aos fenômenos da transexualidade e intersexualidade. O resultado é o questionamento da realidade biológica da categoria "sexo", que se torna tão arbitrária quanto gênero: "Se o caráter imutável do sexo é contestável, talvez o próprio construto chamado 'sexo' seja tão culturalmente construído quanto o gênero; a rigor, talvez o sexo sempre tenha sido o gênero, de tal forma que a distinção entre sexo e gênero revela-se absolutamente nenhuma"[11].

O trecho citado é característico do estilo argumentativo de Butler, no qual um "se" que não é discutido logo se torna a base incontestável para novas conclusões. Com efeito, a falta de maior rigor na argumentação, o vocabulário intrincado e os excessos retóricos são alvos permanentes na crítica feita não somente a Butler, mas à teoria *queer* em geral. Outro flanco de crítica é o foco exclusivo nos mecanismos discursivos de produção da dicotomia homem/mulher, deixando de lado a materialidade das práticas e das instituições que reproduzem a diferença de gênero ou, se se preferir, a heteronormatividade.

Uma contribuição importante à discussão, no âmbito do próprio pós-estruturalismo, foi dada por Gayatri Spivak, que cunhou a expressão "essencialismo estratégico". Os grupos em posição subalterna, como é o caso das mulheres, tendem a ser reduzidos a uma "essência" simplificadora e estereotipada, que tanto nega a multiplicidade de suas experiências quanto naturaliza os efeitos da dominação. Como vimos, é contra essa simplificação que o feminismo

---

[11] Judith Butler, *Problemas de gênero*, cit., p. 25.

enfatiza os problemas da utilização da categoria "mulheres". Spivak propõe um uso estratégico de categorias essencializadoras, entendendo que elas são necessárias para a produção da identificação, sem a qual a mobilização política não se realiza. Ela mesma reconhece os problemas dessa posição, uma vez que é fácil desconsiderar as recomendações de "vigilância" e passar do essencialismo estratégico para o essencialismo acrítico[12]. Mas a noção de essencialismo estratégico tem o mérito de vincular a reflexão feminista pós-estruturalista com o imperativo, próprio da ação política, da construção da unidade na diferença.

Outro deslocamento importante foi a substituição da noção de identidade, muito mais abrangente, pela de perspectiva social. A demanda por presença política das mulheres deixou paulatinamente de ser enunciada como a busca pela representação de uma identidade comum e unificada ou mesmo de interesses unívocos, sendo apresentada como a necessidade de dar voz a determinadas perspectivas sociais. De acordo com a definição mais influente, a perspectiva social é "o ponto de vista que membros de um grupo têm sobre processos sociais por causa de sua posição neles"[13]. É um ponto de partida, não de chegada, e captura o fato de que os integrantes de grupos em posição subalterna têm vivências comuns, indisponíveis a quem não os integra. Assim, a avaliação prioritária pela aparência física, a responsabilização automática pela gestão da vida doméstica e pelo cuidado com os mais vulneráveis, a expectativa de que sejam menos racionais e mais emotivas, a menor atenção concedida a seus interesses e desejos ou o temor difuso da violência sexual são elementos da experiência de "ser mulher" numa sociedade marcada pela dominação masculina, que os homens – por mais solidários ou feministas que sejam – tipicamente não vivenciam. Esses elementos não geram uma "identidade" nem levam necessariamente a um entendimento similar dos próprios interesses. Mas são parte da perspectiva das mulheres e de um conhecimento sobre o mundo social que só elas têm condição de expressar.

Na própria formulação de Young, a relação entre a experiência vivida e a produção de uma visão sobre o mundo é problemática[14]. Para ela, o feminino é "um conjunto de expectativas normativamente disciplinadas impostas ao corpo

---

[12] Gayatri Chakravorty Spivak, "Strategies of vigilance: an interview with Gayatri Chakravorty Spivak", *Block*, n. 10, 1985 (entrevista concedida a Angela McRobbie).

[13] Iris Marion Young, *Inclusion and democracy* (Oxford, Oxford University Press, 2000), p. 137.

[14] Cf. Luis Felipe Miguel, *Democracia e representação*, cit., cap. 7.

das mulheres por uma sociedade dominada pelos homens"[15] – e a perspectiva das mulheres é o substrato comum da experiência feminina nessa sociedade. É essa experiência, produzida pela dominação, que precisa ser valorizada e integrada nos espaços de tomada de decisão, como forma de avançar na superação da própria dominação.

O recurso às ideias de essencialismo estratégico e de perspectiva social pode indicar caminhos, mas não resolve outra tensão crucial, entre o recurso a uma identidade feminina (ou a traços mitigados do que seria essa identidade) e a admissão da multiplicidade de vivências das mulheres numa sociedade que é marcada por diversas outras clivagens, além do gênero. A experiência das mulheres em posição de elite – brancas, educadas, burguesas ou pequeno-burguesas, heterossexuais – tende a ser apresentada como a experiência de todas as mulheres. Essa crítica, que era feita, como já visto, a John Stuart Mill ou Betty Friedan, foi estendida ao pensamento feminista em geral por autoras vinculadas às posições sociais mais desprivilegiadas.

Uma obra importante nesse questionamento foi produzida pela filósofa estadunidense Elizabeth Spelman. O ponto central de seu argumento é que a noção genérica de "mulher" funciona no pensamento feminista da mesma forma que a noção genérica de "homem" na filosofia ocidental, obscurecendo a heterogeneidade[16]. Mas não é qualquer grupo de mulheres que aparece como igual a essa mulher abstrata; os problemas das hispanas e das negras, por exemplo, não são estendidos para as mulheres em geral[17].

Feministas negras questionaram os desdobramentos dessa construção da identidade da mulher – e, por consequência, da pauta do feminismo – a partir da experiência das brancas. Um exemplo está na questão da família. Para as mulheres brancas e de classe média, a compreensão da família como estrutura de opressão é muito mais unívoca. Para negras trabalhadoras, porém, a família pode ser também o local em que ocorre "uma humanização que não é experimentada no mundo externo, em que nos confrontamos com todas as formas de opressão"[18]. Uma branca com formação universitária, rede de contatos estabelecida e qualificação para o mercado de trabalho está em

---

[15] Iris Marion Young, *On female body experience*, cit., p. 5.
[16] Elizabeth V. Spelman, *Inessential woman*, cit., p. ix.
[17] Ibidem, p. 3-4.
[18] Bell Hooks, *Feminist theory*, cit., p. 38.

condição de romper os laços familiares e se estabelecer por conta própria. Já para mulheres pobres e marginalizadas, a família representa uma rede de apoio muito mais central em suas vidas. "A mulher burguesa pode repudiar a família sem acreditar que, com isso, está abandonando a possibilidade de relacionamento, cuidado, proteção."[19]

É possível discutir se, ao fazer essas afirmações, Bell Hooks não volta a certa idealização da família, desde que negra e/ou trabalhadora, deixando em segundo plano os mecanismos de exploração e violência que nela operam. Também pode haver um otimismo excessivo quanto à ausência de constrangimentos às profissionais brancas de classe média que optam por não manter família. Mas certamente ela introduz uma faceta da discussão que tende a ser deixada de lado pela maior parte das feministas brancas. Assim, as autoras do feminismo negro ou de classe trabalhadora denunciam agudamente o que percebem como racismo dentro do movimento feminista ou, ao menos, a insensibilidade em relação às condições de existência reais das mulheres desprivilegiadas.

A teoria feminista, ao deixar de lado a vivência de negras e trabalhadoras, "promove a noção de uma mulher genérica que é branca e de classe média"[20]. O exemplo que ela dá é a discussão sobre a socialização dos gêneros e o desenvolvimento moral nas obras de Chodorow e Gilligan, discutidas no capítulo anterior. Baseadas em amostras de mulheres brancas de classe média, elas expandem seus achados para todo o grupo "mulher", sem qualquer problematização. É como se houvesse consciência do impacto das circunstâncias sociais na produção das diferenças entre homens e mulheres, mas se pudesse ignorar esse impacto quando relacionado a raça ou classe social.

De maneira mais contundente, para Bell Hooks trata-se da "usurpação do feminismo pelas mulheres burguesas para apoiar seus interesses de classe"[21]. Como outras ativistas negras ou de origem trabalhadora, Hooks relata o sentimento de discriminação e a dificuldade de ser ouvida nos espaços do movimento feminista. Ela lê essa impermeabilidade às experiências e demandas das mulheres dos estratos sociais desprivilegiados como uma forma de manter o feminismo na

---

[19] Ibidem, p. 39.

[20] Patricia Hill Collins, *Black feminist thought: knowledge, consciousness and the politics of empowerment* (Nova York, Routledge, 2009), p. 8. A edição original é de 1990.

[21] Bell Hooks, *Feminist theory*, cit., p. 9.

posição de um movimento que se acomoda ao sistema vigente, sem desafiá-lo de forma radical. É o que permite a diluição do feminismo como um "estilo de vida", quando deveria ser entendido como um projeto de ação política revolucionária[22]. Ao mesmo tempo, cabe perceber que mulheres em diferentes posições sociais podem estar vinculadas objetivamente a interesses opostos e que "a consciência da identidade de gênero não se desdobra naturalmente em solidariedade racial intragênero"[23]. Ignorar esse fato prejudica aquelas em posição mais subalterna para quem a superação dos tipos de sexismo que afetam as privilegiadas não altera, ou altera pouco, suas condições efetivas de existência.

Na visão de Hooks, o feminismo diluído é absorvido pela estrutura social na forma de "um movimento de mulheres formado para satisfazer as necessidades de classe de mulheres brancas em ascensão"[24]. A luta contra o racismo seria bem menos conciliável com o sistema. Mas, ao mesmo tempo, ela é consciente das formas de sexismo que impregnam boa parte do movimento negro[25]. Como diz o título de uma coletânea de escritos do feminismo negro dos Estados Unidos, "todas as mulheres são brancas, todos os negros são homens"[26]. As feministas negras, assim, precisam de um lugar próprio, que permita expressar vivências e demandas que lhes são próprias, frutos de formas de discriminação e opressão cruzadas, e que, ao mesmo tempo, faça com que suas perspectivas sejam incorporadas na plataforma do feminismo em geral.

O FEMINISMO E O MOVIMENTO NEGRO

As relações entre o feminismo e o movimento negro sempre foram complexas. Por um lado, a ordem que combatem é a mesma, simultaneamente sexista e racista (além de classista). Por outro, gênero e raça determinam posições diferentes na sociedade. Em particular, há uma associação entre raça e classe social que não se verifica em relação a gênero: ainda que em posição dominada,

---

[22] Ibidem, p. 29.

[23] Sueli Carneiro, "Mulheres em movimento", *Estudos Avançados*, n. 49, 2003, p. 120.

[24] Bell Hooks, *Feminist theory*, cit., p. 53.

[25] Idem, *Ain't a woman? Black women and feminism* (Cambridge, South End, 1981).

[26] Gloria T. Hull, Patricia Bell Scott e Barbara Smith (orgs.), *All the women are White, all the Blacks are men, but some of us are brave: Black women's studies* (Nova York, The Feminist Press at Cuny, 1993).

mulheres estão presentes nos estratos mais ricos da população em proporção similar à dos homens. E, na prática, as lideranças do movimento feminista costumam ser brancas, ao passo que os líderes do movimento negro em geral são homens.

Nos Estados Unidos do século XIX, abolicionistas e sufragistas guardavam afinidades, mas também competiam. Após a Guerra de Secessão, a aprovação da 15ª emenda à Constituição, garantindo o direito de voto aos homens negros, gerou divisão. Elizabeth Cady Stanton acreditava que a causa do sufrágio universal seria enfraquecida e instou as lideranças negras a recusar o voto enquanto as mulheres não fossem contempladas. Já Frederick Douglass, ainda que favorável ao sufrágio feminino, julgava que o voto dos homens protegeria também as mulheres negras e que o direito conquistado não poderia ser repelido[27].

O movimento negro estadunidense que emergiu a partir da metade do século XX abria pouco espaço para as preocupações feministas, quando não era explicitamente misógino. A acentuada influência das religiões cristã e muçulmana não contribuiu para uma maior sensibilidade em relação à desigualdade de gênero. Com frequência, um dos malefícios identificados na sociedade racista era não dar aos negros condições de manter famílias tradicionais, como as dos brancos. Um exemplo extremo, mas significativo, foi a Marcha de Um Milhão de Homens Negros, liderada em 1995 por Louis Farrakhan, que excluía ostensivamente as mulheres, sob o pretexto de protegê-las.

As alas mais radicais, cujos líderes muitas vezes surgiram dos guetos, tendiam a verbalizar uma percepção machista, vendo o antirracismo como uma forma de "afirmar nossa masculinidade e dignidade", nas palavras do líder dos Panteras Negras, Huey Newton[28]. A misoginia por vezes assumiu a forma da negação das mulheres como sujeito. Newton chegou a ganhar a vida como cafetão, durante um tempo tomando a decisão política de explorar

---

[27] William S. McFeely, *Frederick Douglass* (Nova York, W. W. Norton, 1991), cap. 20.

[28] Huey P. Newton, *Revolutionary suicide* (Nova York, Penguin, 2009), p. 22. A edição original é de 1973.

> apenas mulheres brancas[29]. Eldridge Cleaver, que também foi dirigente dos Panteras Negras, afirmou que o estupro de mulheres brancas constituía um "ato insurrecional"[30]. Sem condescender com o horror dessa posição, a pensadora e ativista negra Angela Davis observou como ela foi apropriada, por parte do pensamento feminista, de uma maneira que reforçava estereótipos racistas[31]. As feministas negras, assim, confrontam tanto o predomínio masculino no movimento negro quanto a predominância branca e burguesa no feminismo, apresentando novas pautas de reivindicações e também um novo enquadramento teórico para a compreensão dos problemas da dominação. Entre as autoras, destacam-se, além da própria Angela Davis, Bell Hooks, Audre Lorde, Patricia Hill Collins e Barbara Smith[32].

O que está em questão, em todo o debate, é a possibilidade de identificar uma experiência feminina comum a todas as mulheres, independentemente de suas outras características. Feministas negras e feministas marxistas[33] em geral se inclinam por uma resposta negativa à questão – e, em particular, por negar que essa experiência comum esteja codificada na vivência das mulheres brancas dos estratos sociais privilegiados. "A expressão 'como mulher' é o cavalo de Troia do etnocentrismo feminista", escreveu Spelman[34]. Tentar entender os problemas das mulheres como comuns a todas, sem levar em conta elementos como raça, classe, renda ou orientação sexual, seria silenciar sobre a multiplicidade de experiências específicas que compõem a condição feminina.

---

[29] Ibidem, p. 96.

[30] Eldridge Cleaver, *Soul on ice* (Nova York, Delta, 1991), p. 33. A edição original é de 1968.

[31] Angela Y. Davis, *Women, race & class*, cit., cap. 11.

[32] Audre Lorde, *Sister outsider: essays and speeches* (Berkeley, Crossing, 1984); Patricia Hill Collins, *Black feminist thought*, cit.; Idem, *Black sexual politics: African Americans, gender, and the new racism* (Nova York, Routledge, 2004); Barbara Smith, *The truth that never hurts: writings on race, gender, and freedom* (Piscataway, Rutgers University Press, 1998).

[33] Michèle Barrett, *Women's opression today: the Marxist/feminist encounter* (Londres, Verso, 1989; a edição original é de 1980); Johanna Brenner, *Women and the politics of class* (Nova York, Monthly Review Press, 2000).

[34] Elizabeth V. Spelman, *Inessential woman*, cit., p. 3.

Contra esses argumentos, as autoras que defendem um feminismo unificado, que supere as diferenças de classe ou raça, afirmam que a forma mais paradigmática de sexismo é verificada tendo por objeto as mulheres que não sofrem outras formas de opressão – tomá-las como modelo permite identificar um sexismo puro, não contaminado por outros tipos de preconceito. Esse raciocínio será depois assumido por Catharine MacKinnon, que observa, em polêmica aberta com Spelman, que "a mulher branca que não é pobre ou operária ou lésbica ou judia ou deficiente ou velha ou jovem não divide sua opressão com nenhum homem"[35]. Ou, mais importante, que a categoria "mulher" não é uma essência abstrata, e sim a resultante comum das particularidades concretas das diferentes mulheres[36]. Mas o que está na base dessa opção, diz Spelman, é a crença de que as diversas relações de dominação são simplesmente somadas; uma trabalhadora, uma negra ou uma lésbica sofreriam do mesmo sexismo que qualquer outra mulher, apenas adicionado, conforme o caso, à dominação de classe, ao racismo ou à homofobia.

O mais significativo efeito prático dessa crença é que o monopólio da expressão política das mulheres por porta-vozes burguesas brancas (assim como da expressão dos trabalhadores ou dos negros por porta-vozes homens) deixa de aparecer como um problema[37]. Do ponto de vista da teoria, ela nega o sentido de *interseccionalidade* das diversas formas de opressão: o fato de que elas não se adicionam simplesmente, mas geram padrões de subordinação e de violência física e simbólica que precisam ser entendidos em sua singularidade. O esforço do feminismo negro é esse, ou seja, mostrar que a mulher negra, numa sociedade que é simultaneamente machista e racista, sofre formas de opressão que não são redutíveis às sofridas por mulheres brancas ou por homens negros.

Uma linha de argumentação paralela vai afirmar que, embora existam diferentes formas de opressão, o sexismo é a mais fundamental, de onde derivam todas as outras – tal como, para algumas correntes do marxismo, o machismo ou o racismo seriam apenas manifestações específicas da dominação de classe. O racismo seria um "fenômeno sexual", vinculado às hierarquias familiares, já que,

---

[35] Catharine A. MacKinnon, *Women's lives, men's laws*, cit., p. 30 (ênfase suprimida).

[36] Ibidem, p. 87.

[37] Elizabeth V. Spelman, *Inessential woman*, cit., p. 177.

no sentido bíblico, as raças não são mais do que os vários parentes e irmãos da Família do Homem; e, como no desenvolvimento das classes sexuais, a distinção fisiológica da raça tornou-se culturalmente importante somente por causa da distribuição desigual de poder. Assim, o racismo é o sexismo estendido.[38]

Em registro semelhante, Kate Millet anota que o sexismo "é mais resistente que qualquer forma de segregação, e mais rigoroso que a estratificação de classe, mais uniforme, certamente mais durável"; ele forneceria o "conceito mais fundamental de poder"[39]. E, de maneira ainda mais próxima da centralidade do conflito de classes nas versões do marxismo referidas antes, Mary Daly critica os movimentos que combatem "alguma deformidade *dentro* do patriarcado – por exemplo, racismo, guerra, pobreza – em vez do patriarcado em si mesmo, sem reconhecer o sexismo como raiz e paradigma das várias formas de opressão"[40].

Boa parte dessas afirmações é feita sem maior cuidado em sustentá-las empiricamente, para além da retórica que, por exemplo, apresenta o estupro como "modelo da construção de armas nucleares, racismo, pobreza causada pelo homem, contaminação química"[41]. De fato, elas têm muito de contraintuitivo. Como observou Spelman, um menino negro pobre nos Estados Unidos que julgue que, como é homem, pode dominar mulheres brancas "não está sendo bem preparado para a sociedade em que nasceu"[42]. Em vez de buscar um fundamento último comum para sexismo, racismo, dominação de classe e homofobia ou de determinar qual deles é mais essencial, parece mais produtivo entender que essas formas de opressão possuem afinidades, paralelos e mecanismos de reforço mútuo, mas também padrões ao menos em parte independentes de reprodução.

Spelman argumenta que reconhecer a existência de muitos tipos de mulheres, de acordo com suas posições sociais específicas, não é uma ameaça à coerência do feminismo[43]. No entanto, é exatamente esse o ponto defendido pelas autoras que recusam abrir mão de uma categoria "mulheres" unificada. A crítica é feita com base em injunções pragmáticas: a afirmação de tantas singularidades

---

[38] Sulamith Firestone, *The dialectic of sex*, cit., p. 108.

[39] Kate Millett, *Sexual politics*, cit., p. 25.

[40] Mary Daly, *Beyond God the father: toward a philosophy of women's liberation* (Boston, Beacon, 1993), p. 56. A edição original é de 1973.

[41] Ibidem, p. xvi.

[42] Elizabeth V. Spelman, *Inessential woman*, cit., p. 89.

[43] Ibidem, p. 176.

comprometeria a unidade na ação contra o sexismo. Uma tentativa de resposta foi apresentada, mais uma vez, por Catharine MacKinnon, cuja teoria repousa exatamente na percepção de uma unidade fundamental da experiência feminina sob a dominação masculina. A despeito das diferenças de classe, raça, orientação sexual ou outras, as mulheres seriam uma categoria unificada como consequência da violência de um sexismo que se dirige a todas, sem distinção. "Constituído por todas as variações, o grupo 'mulheres' pode ser visto como tendo uma história social coletiva de desempoderamento, exploração e subordinação, que se estende até o presente."[44] A experiência das mulheres não é uniforme, mas é possível e necessário buscar os elementos comuns. Mesmo porque, entre os grupos oprimidos, as mulheres seriam aquele com a identidade coletiva mais fraca: "Quando mulheres negras se referem a 'pessoas que se parecem comigo', é entendido que estão falando de pessoas negras, não de mulheres"[45].

Entre o reconhecimento das diferenças (e das hierarquias internas ao grupo das mulheres) e a identificação de um núcleo de vivências comuns, a partir do qual se definiria uma voz unificada, o feminismo mantém uma rica discussão interna. Ela atravessa a polêmica sobre o multiculturalismo, referida no capítulo anterior, e desemboca nos debates sobre a "política de presença", a representação política feminina e o acesso à voz, que serão apresentados no próximo capítulo. Uma vez mais, a teoria feminista tem levantado perguntas difíceis de responder e contribuído para que lancemos um olhar mais apurado sobre a realidade social.

---

[44] Catharine A. MacKinnon, *Women's lives, men's laws*, cit., p. 25.

[45] Ibidem, p. 27.

6
GÊNERO E REPRESENTAÇÃO POLÍTICA

Luis Felipe Miguel

A conquista do direito de voto foi, por muitas décadas, o ponto focal do movimento de mulheres. Da metade do século XIX até as primeiras décadas do século XX, o sufragismo foi a face pública das reivindicações feministas. O acesso à franquia eleitoral representava o reconhecimento, pela sociedade e pelo Estado, de que as mulheres tinham condições iguais às dos homens para gerir a vida coletiva e também que elas possuíam visões do mundo e interesses próprios, irredutíveis aos de seus familiares. Afinal, um dos argumentos centrais para a exclusão política delas era que seus interesses já seriam protegidos pelo voto dos maridos ou dos pais[1].

Além desse efeito simbólico, havia a ideia de que o voto era a via de acesso aos espaços de tomada de decisão, que se tornariam mais permeáveis à presença das mulheres e mais sensíveis às suas demandas. No entanto, as décadas seguintes à obtenção do sufrágio feminino mostraram que era perfeitamente possível a convivência entre o direito de voto das mulheres e uma elite política formada quase exclusivamente por homens. Repetiu-se, com o sufragismo, o que ocorrera com a luta do movimento operário pelo voto universal masculino. Seus apoiadores, entre eles o próprio Marx, tanto quanto seus adversários, julgavam que seria o prelúdio de uma via eleitoral para o socialismo. Mas o fim das exigências censitárias e a extensão do direito de voto aos trabalhadores não abalaram a dominação política da classe burguesa.

A baixa proporção de mulheres nas esferas do poder político é uma realidade constatada ainda hoje em quase todos os países do mundo. De acordo com os dados da Inter-Parliamentary Union, atualizados em julho de 2013, as mulheres ocupam, em média, 21,3% das cadeiras nos parlamentos nacionais[2]. Em apenas

---

[1] James Mill, "On government", em *Political writings* (Cambridge, Cambridge University Press, 1992), p. 27. A edição original é de 1820.

[2] No caso de parlamentos bicamerais, os números se referem sempre às câmaras baixas. Disponível em: <http://www.ipu.org/wmn-e/arc/world010713.htm.>; acessado em: 26 set. 2014.

26 dos 187 países sobre os quais há dados, elas respondem por um terço ou mais das vagas. O único país em que as mulheres são mais numerosas do que os homens no parlamento é Ruanda, o que é efeito tanto de uma lei de reserva de vagas quanto do esvaziamento da elite política masculina após o genocídio de 1994 e os julgamentos que se seguiram a ele. O Brasil, com menos de 9% de mulheres na Câmara dos Deputados, está entre os piores colocados no ranking internacional, atrás de 154 países. Desde que o acompanhamento começou a ser feito, em 1997, há uma tendência de ampliação da presença feminina nos parlamentos do mundo, mas em velocidade reduzida, com um aumento médio de meio ponto percentual por ano.

Fica claro que a abolição das barreiras legais não representou o acesso a condições igualitárias de ingresso na arena política. Entraves de diferentes naturezas à participação feminina continuam em vigor. O insulamento na vida doméstica retira delas a possibilidade de estabelecer a rede de contatos necessária para se lançar na carreira política. Aquelas que exercem trabalho remunerado permanecem em geral como responsáveis pelo lar, no fenômeno conhecido como "dupla jornada de trabalho", tendo reduzido seu tempo para outras atividades, incluída aí a ação política. Os padrões diferenciados de socialização de gênero e a construção social da política como esfera masculina inibem, entre as mulheres, o surgimento da vontade de participar[3]. Em suma, como disse Anne Phillips, não basta eliminar as barreiras formais à inclusão, concedendo acesso ao voto ou direitos iguais. É necessário incorporar expressamente os grupos marginalizados no corpo político, "empurrá-los" para dentro, rompendo a inércia estrutural que os mantém afastados dos espaços decisórios[4].

Nas décadas finais do século XX, o problema da sub-representação das mulheres nas esferas de exercício do poder tornou-se uma prioridade na agenda feminista. É possível observar uma revalorização das instâncias do Estado, comum a outros movimentos de esquerda. O feminismo começou a "repensar

---

[3] Estudos realizados nos Estados Unidos mostram que, entre profissionais de formação e trajetória similares, as mulheres se sentem menos capazes de exercer cargos públicos que os homens. Ao mesmo tempo, elas, ao contrário deles, só se dispõem a concorrer a um posto político quando se julgam muito qualificadas. Ver Jennifer L. Lawless e Richard L. Fox, *It takes a candidate: why women don't run for office* (Cambridge, Cambridge University Press, 2005). Para uma resenha ampla da literatura sobre mulheres e carreira política, cf. Luis Felipe Miguel e Flávia Biroli, *Caleidoscópio convexo*, cit., cap. 3.

[4] Anne Phillips, *Which equalities matter?*, cit., p. 35.

a reticência em 'fazer política' ou agir sobre o 'terreno institucional', que foi uma opção dominante da política feminista até os anos 1970"[5]. Há, assim, uma aceitação das estruturas políticas vigentes e a redução da aposta utópica em formas radicalmente novas de ação coletiva.

No Brasil, essa mudança coincide com o processo de redemocratização. A partir dos anos finais do regime militar, foram criados conselhos estaduais dos direitos das mulheres (sobretudo nos estados governados pelos partidos de oposição à ditadura); em seguida, já no início do novo governo civil, surgiram as delegacias policiais especializadas no atendimento à mulher e o Conselho Nacional dos Direitos das Mulheres. Em 2003, por fim, o governo federal criou a Secretaria de Políticas para as Mulheres, com *status* de ministério. Essas experiências marcam vitórias de um movimento feminista que se empenhava em fazer o Estado trabalhar no sentido da igualdade de gênero.

O FEMINISMO E O ESTADO

A reflexão sobre o Estado só ingressou no pensamento feminista partir da segunda metade do século XX. Antes disso, o feminismo liberal tendia a considerar as estruturas do Estado como dadas. E o feminismo marxista julgava que a percepção classista do Estado era suficiente para dar conta de seus problemas. Permanecia em vigor o entendimento de Engels, de que tanto a família patriarcal quanto o Estado eram produtos do surgimento da propriedade privada[6].

A busca por uma compreensão especificamente feminista do Estado se liga à percepção crescente de que a ortodoxia marxista não é capaz de dar conta, de maneira adequada, das desigualdades de gênero. Surgem, então, as correntes que enfatizam o duplo caráter, patriarcal e capitalista, da sociedade ocidental, sem que um adjetivo tenha primazia sobre o outro. Na visão de algumas autoras, o Estado exerceria um papel destacado na mediação

---

[5] Eleni Varikas, "Une représentation en tant que femme? Réflexions critiques sur la demande de la parité des sexes", *Nouvelles Questions Féministes*, v. 16, n. 2, 1995, p. 85.

[6] Friedrich Engels, *A origem da família, da propriedade privada e do Estado*, cit.

entre patriarcado e capitalismo, permitindo o funcionamento concomitante de suas formas de opressão e exploração[7].

O feminismo adere à percepção de que o Estado, mais do que um aparato repressivo, deve ser compreendido como *produtor* de práticas sociais. Uma contribuição particularmente significativa é a da jurista estadunidense Catharine MacKinnon, que anuncia já no título de sua obra mais importante a pretensão de contribuir para gerar uma teoria feminista do Estado. A ausência dessa teoria impediria o feminismo de entender como o aparato estatal incorpora o ponto de vista masculino e "constitui a ordem social no interesse dos homens como gênero – por meio de normas, formas, relação com a sociedade e políticas substantivas legitimadoras"[8]. É a própria "neutralidade" do Estado que garante seu caráter masculino, negando legitimidade às demandas, constituídas como "particulares", das mulheres[9].

Mais recentemente, o chamado feminismo de Estado (*State feminism*) passou a enfatizar a importância de fazer com que as estruturas de exercício do poder político incorporem demandas vinculadas aos direitos das mulheres. A prioridade seria a *advocacy* feminista, isto é, a sensibilização dos aparelhos de Estado[10]. A desconfiança inicial e o relativo desinteresse em relação ao Estado cedem lugar, nesse caso, ao extremo oposto, em que se deixam de lado o trabalho de base, a conscientização e o esforço de transformação da vida cotidiana, que sempre marcaram o movimento feminista.

---

[7] Zillah Eisenstein, "Developing a theory of capitalist patriarchy and socialist feminism" e "Some notes on the relations of capitalist patriarchy", ambos em idem (org.), *Capitalist patriarchy and the case for socialist feminism* (Nova York, Monthly Review Press, 1979).

[8] Catharine A. MacKinnon, *Toward a feminist theory of the State*, cit., p. 162.

[9] Ibidem, p. 162-3.

[10] Joni Lovenduski, "Introduction: State feminism and the political representation of women", em idem (org.), *State feminism and political representation* (Cambridge, Cambridge University Press, 2003).

Como forma de vencer o problema da baixa presença de mulheres no Poder Legislativo, em muitos países foram adotadas ações afirmativas, em particular cotas eleitorais por sexo. Dessa maneira, uma parcela das vagas de candidatos, ou mesmo dos assentos no parlamento, fica reservada para as mulheres. A partir do final dos anos 1970, regras estabelecendo uma porcentagem mínima de mulheres, primeiro em direções partidárias e sindicais ou na administração pública, em seguida nas eleições, passaram a vigorar em países da Europa. Logo foram adotadas em outras partes do mundo, sobretudo na América Latina e na África.

Do ponto de vista da teoria política, as cotas implicam uma ruptura com um princípio basilar da ordem política liberal, ao indicar que um grupo (as mulheres) deve ter preservado seu direito de se fazer ouvir nos espaços de representação. Para o liberalismo, o único sujeito de direito é o indivíduo. Se as mulheres, ou qualquer outro grupo, querem se fazer representar, esse objetivo deve ser alcançado por meio das opções individuais de seus diversos integrantes, sem constrangimentos legais. Elas podem ingressar nos partidos, disputar convenções, disputar eleições. Podem mesmo fazer campanhas pelo voto em candidatas do sexo feminino. Mas devem conquistar seu espaço sem vantagens consignadas em lei[11].

Assim, no quadro do pensamento liberal, a conquista do direito de voto é um ponto de chegada definitivo. O sufrágio universal é necessário para impedir a tirania e para garantir que todos sejam levados em conta nas decisões de governo porque se acredita que cada um é o melhor juiz do próprio interesse. Quando da luta pela conquista do voto feminino, este foi um dos argumentos utilizados: só as mulheres – e não seus pais ou maridos – podiam manifestar legitimamente seus interesses. No momento em que as mulheres conquistaram o direito a voto, porém, o argumento se volta contra qualquer forma de ação afirmativa. Se as mulheres (como indivíduos) podem expressar suas preferências nas eleições, então as mulheres (como grupo) não podem se queixar se estão pouco ou mal representadas nas esferas decisórias. Essas esferas são compostas como resultado da agregação das escolhas individuais. Quando mulheres eleitoras preferem votar em homens ou, de maneira mais geral, privilegiam outras formas de lealdade política e outras facetas de sua identidade, em vez do pertencimento de gênero, suas escolhas devem ser respeitadas.

---

[11]   Cf. Luis Felipe Miguel, "Teoria política feminista e liberalismo: o caso das cotas de representação", *Revista Brasileira de Ciências Sociais*, n. 44, 2000.

O questionamento desse raciocínio e a consequente defesa de ações reparadoras, como as cotas eleitorais, passam a colocar em primeiro plano as desigualdades estruturais presentes na sociedade, reconhecer que elas transbordam para a arena política e também rejeitar a crença de princípio na autonomia dos indivíduos na produção de suas preferências. Ou seja, romper com os pressupostos que organizam a presunção de igualdade política no ordenamento liberal.

As cotas sinalizam que, ainda que o processo de escolha de representantes possa ser formalmente correto, seu resultado é injusto se grupos sociais importantes não encontram presença adequada. Trata-se de uma revalorização da chamada "representação descritiva", a concepção de que o parlamento deve espelhar a sociedade de onde nasce, considerada pela ciência política, ao longo do século XX, como ingênua e insatisfatória. Em seu estudo que se tornou clássico, Hanna Pitkin apontou que a representação descritiva se preocupa apenas com quem os representantes são, ignorando o que eles fazem e os mecanismos que deveriam garantir que respondessem aos anseios de seus eleitores[12].

Ao fazer a defesa daquilo que prefere nomear como "política de presença", rebatendo as críticas de Pitkin e de outros, Anne Phillips reconhece que ela nasce da desilusão com a responsividade esperada dos representantes, que se mostrou incapaz de proteger os grupos mais frágeis[13]. Não importa que um parlamento exclusivamente ou quase exclusivamente masculino seja fruto de uma eleição em que as mulheres formavam metade (ou, na verdade, um pouco mais da metade) dos votantes. Esse parlamento não é capaz de representá-las de modo adequado e, portanto, são necessárias medidas corretivas, como as cotas.

Vários problemas vinculados às políticas de cotas são destacados pela própria Anne Phillips. Elas possuem um elemento contraditório, pois fazem do sexo um critério para o acesso à elite política (ou, para citar outro exemplo, da raça um critério para o ingresso no ensino superior) quando têm como objetivo ostensivo criar uma situação em que sexo (ou raça) seja irrelevante para predizer se uma pessoa alcançará o parlamento (ou a universidade). As cotas também podem motivar preconceito contra quem se beneficia delas. Em particular, deputados eleitos por meio de cotas podem ser considerados menos legítimos,

---

[12] Hanna Fenichel Pitkin, *The concept of representation* (Berkeley, University of California Press, 1967).

[13] Anne Phillips, *The politics of presence*, cit.

já que representariam apenas o grupo ao qual estão vinculados, em vez do povo em geral[14].

Um problema de resolução particularmente difícil é a definição de quais grupos sociais devem ser beneficiados por políticas de ação afirmativas. Se mulheres precisam estar presentes no Poder Legislativo, por que não trabalhadores, negros, indígenas, gays, pessoas com deficiência ou integrantes de grupos religiosos minoritários? De fato, todos os grupos aqui listados respondem ao critério proposto por Williams, de que as ações reparadoras são merecidas pelos grupos que sofreram exclusão e/ou violência patrocinadas pelo Estado[15]. Mas alguns problemas permanecem. Existem grupos que continuam a ser legalmente excluídos da participação política, mas a respeito dos quais, em geral, não surgem demandas por presença – é o caso das crianças, por exemplo, bem como de pessoas que possuem outra nacionalidade, ainda que sejam habitantes do território. Ou seja, não está esgotada a discussão sobre direitos e sobre as condições de acesso a esses direitos.

Além disso, a aplicação prática das ações afirmativas enfrenta dificuldades. Se o sexo biológico é aceito como uma variável dicotômica e discreta, com a proporção entre os grupos na população se mantendo mais ou menos estável, as cotas por sexo são de implementação pouco controversa. Outras clivagens sociais significativas não possuem tais características. É necessário discutir quem pertence ao grupo beneficiado, quando as fronteiras não são evidentes – onde está a linha divisória entre negros e não negros? Que posições nas relações de produção formam a classe trabalhadora? Quais manifestações de desejo ou de comportamento estabelecem alguém como gay? E é necessário recalcular constantemente a presença exigida, já que, ao contrário do que ocorre com mulheres e homens, a proporção de negros, gays, trabalhadores ou pessoas com deficiência na população pode variar muito num intervalo relativamente pequeno de tempo.

Outro problema relevante é o "essencialismo" potencial subjacente[16]. Fica implícito que as mulheres, apenas por serem mulheres, responderão a interesses idênticos. No entanto, os indivíduos ocupam simultaneamente

---

[14] Ibidem, p. 153-6.

[15] Melissa S. Williams, *Voice, trust, and memory: marginalized groups and the failings of liberal representation* (Princeton, Princeton University Press, 1998).

[16] Clara Araújo, "Mulheres e representação política: a experiência das cotas no Brasil", *Revista Estudos Feministas*, v. 6, n. 1, 1998, p. 77.

diversas "posições de sujeito", cujas pressões são variadas e, muitas vezes, contraditórias. Por exemplo, uma mulher negra, trabalhadora manual, evangélica, consumidora de determinados bens e moradora da periferia pode ter interesses conflitantes associados a cada uma dessas características. Integrar um grupo não significa expressar suas demandas. Muitas mulheres candidatas e eleitas não apresentam comprometimento com as questões de gênero. E, de maneira mais profunda, é questionável mesmo a noção de que existem interesses objetivamente identificáveis, ligados às posições sociais. Mulheres podem discordar, e de fato discordam, sobre quais são seus interesses ou quais medidas políticas devem apoiar[17].

Devido a todos os problemas associados às cotas, Phillips é muito cuidadosa ao insistir que não prega a substituição de uma política de ideias, vinculadas às propostas e aos valores expressos pelos representantes, por uma política de presença. O que ela propõe é a correção de alguns dos vieses da representação política por meio da adoção de mecanismos descritivos. Não é deixada de lado a necessidade de supervisão dos representantes pelos representados. Phillips argumenta, então, que a política de presença é um momento de transição do "pluralismo convencional", preocupado com grupos de interesse, ao "pluralismo radical", atento aos grupos de identidade[18]. Essa formulação já aponta a diferenciação entre interesses e identidades, que é fundamental no debate. O meu interesse é, em tese, representável por qualquer pessoa, que pode verbalizá-lo em meu lugar e agir para promovê-lo. Mas a minha identidade só se torna visível por meio de um igual. Eu posso não estar presente no grupo de governantes, mas minha identidade estará lá não por meio de um representante, e sim corporificada em alguém que a possui em comum.

Em suas formulações posteriores, porém, Anne Phillips prefere falar de perspectivas sociais em vez de identidades. Menos fechado e com caráter mais relacional, o conceito de perspectiva social cumpre, na argumentação, uma função similar à da identidade: é o não representável, aquilo que exige a presença política. Mas escaparia às suas dificuldades, sobretudo ao risco do essencialismo potencial. O conceito é mobilizado, então, para justificar de forma mais sofisticada as demandas por presença, escapando tanto da noção

---

[17] Cf. Eleni Varikas, "Une représentation en tant que femme?", cit.

[18] Anne Phillips, *Democracy and difference* (University Park, The Pennsylvania State University Press, 1993), p. 17.

de que as mulheres possuem uma sensibilidade diferenciada que as credenciaria à posição de vetores de uma política mais altruísta e humana, tal como apresentada pelas correntes maternalistas, discutidas em capítulos anteriores deste livro, quanto da visão de que elas precisam ocupar espaços de poder para defender seus interesses específicos, o que pressupõe a existência de interesses comuns definidos de antemão.

O conceito de perspectiva social, apresentado no capítulo anterior, ganhou curso sobretudo a partir, da obra de Iris Marion Young. Ele captaria a sensibilidade da experiência gerada pela posição de grupo, sem reclamar para ela um conteúdo unificado. Na visão da autora, a representação política englobaria três dimensões – interesses, opiniões e perspectivas[19]. Ela não recusa legitimidade à busca da satisfação de interesses, entendidos como instrumentos para a realização de fins individuais ou coletivos, por meio da ação política, tampouco ignora as opções políticas embasadas em opiniões, isto é, em princípios e valores que fundam o juízo. Essas duas facetas, porém, estariam bem definidas nas compreensões correntes sobre a representação política. O esforço seria acrescentar a terceira faceta, a das perspectivas, que fundamenta a exigência de presença direta dos integrantes dos grupos em posição subalterna.

Ao deslocar a centralidade do conflito de interesses na definição da política, Young corre o risco de incidir num entendimento idealista. A multiplicidade de perspectivas serviria para a ampliação do conhecimento social presente nas esferas decisórias, contribuindo para a produção de consensos mais esclarecidos. Contra esse risco, é necessário reforçar o vínculo entre interesses e perspectivas[20]. Uns não derivam automaticamente das outras, mas, se a perspectiva é a visão de mundo vinculada a uma posição social, os interesses políticos também se ligam a essa posição. E, numa sociedade marcada por relações de exploração, dominação e opressão, não é possível pensar a política senão sob o signo do conflito.

Os grupos sociais dominados não possuem apenas experiências e visões de mundo diversas dos grupos em posição dominante. Eles possuem também interesses conflitantes. Apesar das ressalvas que Young continuou fazendo, a perda

---

[19] Iris Marion Young, *Inclusion and democracy*, cit., p. 134-6.
[20] Luis Felipe Miguel, *Democracia e representação*, cit., cap. 8.

de centralidade dos conceitos de dominação e opressão em sua obra posterior a *Justice and the politics of difference* fez com que a ideia de perspectiva social se distanciasse das injustiças sociais. A variedade de perspectivas foi se aproximando mais da pluralidade própria de uma sociedade multicultural, empalidecendo o foco na estruturação das vivências de acordo com constrangimentos associados às desigualdades de poder, recursos materiais e prestígio social.

Mas não se trata apenas de diversidade. Numa sociedade estruturada pela dominação masculina, a posição das mulheres não é apenas "diferente" da dos homens. É uma posição social marcada pela subalternidade. Mulheres possuem menos acesso às posições de poder e de controle dos bens materiais. Estão mais sujeitas à violência e à humilhação. O feminino transita na sociedade como inferior, frágil, pouco racional; é o "outro" do universal masculino, como a reflexão feminista aponta desde Simone de Beauvoir. A ruptura com esse estatuto subalterno exige a revisão dos privilégios masculinos. Ainda que muitos homens sejam solidários às demandas feministas – e ainda mais mulheres ocupem a posição de guardiãs da dominação masculina –, há um conflito entre a emancipação delas e a manutenção do papel social privilegiado deles.

O recurso à categoria "perspectiva" também não resolve o problema das diferenças internas ao grupo das mulheres. Todos os problemas vinculados à noção da identidade feminina, discutidos no capítulo anterior, são repostos para as perspectivas sociais. É discutível se há uma posição na sociedade que abarque todas as mulheres, sedimento comum das posições particulares de cada uma delas, ou se outros determinantes (classe, raça, orientação sexual, geração etc.) afetam de tal maneira as perspectivas que não se pode abstrair um ponto de vista unificado. Na prática, as posições de representantes políticas tendem a ser monopolizadas por aquelas em situação privilegiada (profissionais brancas heterossexuais burguesas ou de classe média). Elas são representantes das mulheres, em geral, ou de uma *parcela* das mulheres, com determinadas características distintivas?

Ignorar essas questões implica manter a estrutura de desigualdades dentro do grupo das mulheres, silenciando as vozes das negras, das trabalhadoras ou das lésbicas, que permanecem sem presença nos espaços decisórios. Por outro lado, uma atenção exclusiva às clivagens sociais sobrepostas leva, no limite, à impossibilidade da representação[21]. A soma dos pertencimentos particulares singulariza cada indivíduo. Nesse caso, voltamos à posição liberal, em que cada um se manifesta por si mesmo na arena pública e os grupos tornam a desaparecer como sujeitos políticos. A tensão entre o reconhecimento da diferença e a necessidade de alguma forma de unidade se apresenta, no âmbito da representação política das mulheres, como uma questão de primeira grandeza, que exige respostas mais práticas do que teóricas.

Um ponto central, relativo às reivindicações das mulheres por maior presença nos corpos representativos, diz respeito à acomodação com a institucionalidade vigente. Nas vertentes mais interessantes, desde seus primórdios, o feminismo associou-se a uma crítica abrangente dos padrões de dominação social, que incluía o entendimento de que as instituições ignoravam muitas dessas formas de dominação e, com isso, contribuíam para invisibilizá-las e naturalizá-las.

A força desse movimento residia precisamente na sua insistência sobre o caráter *estrutural* da dominação que se exprime nas relações da vida cotidiana, dominação cuja natureza política tinha sido precisamente negada.[22]

A acomodação à ordem política em vigor substituiu o impulso anterior de "'refundar' a democracia, dar-lhe novos fundamentos, uma nova base moral e política", para citar, uma vez mais, Eleni Varikas[23].

> ### REPRESENTAÇÃO E ELEIÇÕES
>
> A rigor, um representante político é qualquer pessoa que fala em nome de outras nos espaços de deliberação. Nas democracias eleitorais, é considerado representante legítimo quem obteve essa posição por meio da autorização dos representados, concedida pelo voto. Representação e eleições, assim, tornaram-se um par semântico.
>
> A forma de escolha dos representantes (o sistema eleitoral) possui impacto significativo no resultado do processo. Sistemas majoritários – chamados de "voto distrital", em vigor em países

---

[21] Anne Phillips, *The politics of presence*, cit.

[22] Eleni Varikas, "Une représentation en tant que femme?", cit., p. 86.

[23] Ibidem, p. 120.

como Estados Unidos e Inglaterra – favorecem, por sua própria lógica, a expressão de interesses de base territorial. Causas que não estão vinculadas a um determinado local, como é o caso do próprio feminismo, encontram maior dificuldade para eleger representantes.

Dado que cada distrito elege apenas um representante, não há a possibilidade de adoção de cotas. Nos Estados Unidos, por vezes foram desenhados distritos que contemplavam uma maioria negra, a fim de garantir a escolha de deputados que representassem essa população. Como no caso das mulheres não há segregação espacial, esse estratagema não pode ser aplicado.

A representação proporcional é, em tese, mais favorável às minorias e permite a adoção de cotas. Quando ocorre na forma de listas fechadas, em que os candidatos são preordenados, avulta o poder das direções partidárias, tradicionalmente refratárias à presença política feminina. Mas é o sistema que permite o melhor funcionamento das cotas, que têm um impacto quase automático. No Brasil, vigora a representação proporcional com listas abertas, na qual os candidatos disputam individualmente o voto popular. A reserva de vagas de candidatura para mulheres, sem dar a elas condições para fazer campanha, alcança pouca efetividade. Implantadas a partir das eleições de 1994, as cotas brasileiras têm tido efeito modesto na ampliação do número de mulheres eleitas.

É evidente que a baixa representação das mulheres nos poderes governamentais indica uma forma de desigualdade incorporada no sistema político. Mas não se pode perder de vista que, por si só, a maior presença dos integrantes de grupos dominados nos espaços de poder não eliminará nem reduzirá de maneira substantiva a desigualdade política. Ela apenas fará com que o conjunto de tomadores de decisão se torne mais diversificado e, portanto, similar ao corpo social. Não é desafiada a diferenciação entre um pequeno contingente de pessoas que toma as decisões e a grande massa daquelas que são submetidas a elas. A concentração do poder político num grupo minoritário permanecerá intacta, com a diferença (que não é irrelevante) de que esse grupo espelhará melhor algumas das clivagens sociais fundamentais.

Aqui, é possível evocar a distinção que Nancy Fraser fez entre estratégias afirmativas e estratégias transformadoras. Enquanto as primeiras visam "corrigir resultados iníquos dos arranjos sociais sem perturbar as estruturas sociais subjacentes que os geram", as segundas objetivam exatamente "reestruturar o quadro generativo subjacente"[24]. Como política afirmativa, a busca por mais mulheres no poder mantém a divisão atual do trabalho político. O elemento autonomista do feminismo, comprometido com a construção de uma sociedade com igualdade substantiva e em que cada pessoa possuísse maior controle sobre a própria vida, deixa de ser prioridade.

O acesso a posições formais na estrutura de poder não significa que se esteja, automaticamente, em posição de igualdade em relação a outros agentes que lá se encontram. A política se organiza na forma de um "campo", no sentido atribuído ao termo pela sociologia de Pierre Bourdieu[25]. É um espaço social estruturado, que possui uma hierarquia interna própria e que exige, dos agentes que nele ingressam, a aceitação de determinada lógica e de certos padrões de comportamento, sob pena de serem marginalizados. Constituído historicamente como um ambiente masculino, o campo político trabalha contra as mulheres (bem como os integrantes de outros grupos em posição de subalternidade), impondo a elas maiores obstáculos para que cheguem às posições de maior prestígio e influência, mesmo depois de terem alcançado cargos por meio do voto.

Os grupos dominantes dispõem de mais bens materiais, que lhes permitem agir de forma eficaz na arena política. Está incluído aí o tempo livre, primeiro recurso necessário para a atividade política. No caso das mulheres, essa é uma exigência particularmente importante. A presença no campo político, sobretudo a ocupação de suas posições mais centrais, carrega exigências de disponibilidade de tempo que trabalham de forma objetiva contra aqueles que estão presos a outros tipos de compromisso. Como, dada a organização atual da sociedade, as mulheres são as principais responsáveis pela gestão de suas unidades domésticas, o tempo se torna uma barreira importante para o início ou o progresso de uma carreira política; com frequência, limitam sua ambição devido a questões

---

[24] Nancy Fraser, "Social justice in the age of identity politics: redistribution, recognition, and participation", em Nancy Fraser e Axel Honneth, *Redistribution or recognition? A political-philosophical exchange* (Londres, Verso, 2003), p. 74.

[25] Pierre Bourdieu, "La représentation politique. Éléments pour une théorie du champ politique", *Actes de la Recherche en Sciences Sociales*, n. 36-7, 1981.

como a necessidade de permanecer morando na mesma cidade, que são bem menos presentes nos cálculos dos políticos homens[26]. Os dados de diversos países revelam que, entre ocupantes de cargos públicos, o percentual de viúvas e solteiras é muito maior que o de viúvos e solteiros. A família, que para eles pode representar uma retaguarda de apoio à carreira, para elas conta como um fardo. Em outras palavras: mecanismos de incentivo à participação política podem ser meritórios, mas as condições para o exercício paritário do poder dependem ainda de medidas como creches, divisão das tarefas domésticas e fim da discriminação de gênero no mercado de trabalho.

Os integrantes dos grupos dominantes também são mais bem treinados na produção do discurso adequado – ou, melhor, o tipo de discurso considerado adequado no campo político é mais próximo de seus padrões de fala, que são marcados positivamente, ao contrário do que ocorre com a fala dos grupos dominados. A fala das mulheres carrega marcas de inferioridade, desde a disposição afetiva associada a elas, julgada como excessivamente compassiva, até o próprio timbre de voz, já que o mais grave é vinculado socialmente ao exercício da autoridade[27]. Por fim, os interesses do grupo dominante são mais facilmente apresentados como interesses universais, o que é outro efeito do "imperialismo cultural" – a cultura e a vivência do grupo dominante são universalizadas e vistas como a norma[28]. A defesa dos direitos das mulheres é uma pauta "específica"; os homens podem falar pela coletividade em geral.

Assim, apesar dos avanços da presença das mulheres na política nas últimas décadas, o discurso político delas continua carregando os signos de sua subalternidade social. A associação convencional entre a mulher e o cuidado repercute fortemente na ação no campo político, fazendo com que elas se dirijam de maneira prioritária para questões vinculadas a assistência social, família ou educação. As mulheres na política são incentivadas a se mover em um círculo reduzido de temáticas tidas como apropriadas e que, por mais relevantes que sejam em si mesmas, são consideradas menos importantes e contribuem para segregá-las nas posições menos centrais do campo. As marcas da feminilidade no discurso reduzem a legitimidade da falante, mas a ausência delas é denunciada

---

[26] Cf. Luis Felipe Miguel e Flávia Biroli, *Caleidoscópio convexo*, cit., cap. 3.

[27] Susan Bickford, *The dissonance of democracy: listening, conflict, and citizenship* (Ithaca, Cornell University Press, 1996), p. 97-8.

[28] Iris Marion Young, *Justice and the politics of difference*, cit., p. 59.

como uma falha da mulher que não as tem: a emotividade excessiva não é pertinente num político, mas a frieza e a racionalidade não cabem para o sexo feminino. Em suma, o campo político impõe às mulheres alternativas sempre onerosas, de forma bem mais pesada do que faz com seus competidores do sexo masculino.

Com isso, surge uma última questão de fundo: o esforço deve ser voltado para colocar mais mulheres em posições de poder ou para fazer avançar uma agenda política feminista? O impulso inicial na direção do Estado, quando surgiram os órgãos de defesa dos direitos das mulheres, era nessa segunda direção. Mas a ampliação do número de representantes do sexo feminino não guarda relação necessária com uma maior centralidade da pauta do feminismo. Torna-se preciso, então, investigar a relação entre a presença de mulheres no poder e a "representação substantiva" dos interesses delas, isto é, "se as mulheres buscam e são capazes de promover as questões das mulheres"[29].

A possibilidade de fazer com que a agenda feminista avance, sobretudo num momento de ofensiva de tantos grupos opostos a ela, como a direita religiosa, certamente se beneficia da presença de mais mulheres nas esferas de poder. Mas não pode se restringir a isso. A compreensão da importância da disputa nas instituições do Estado não deve levar à desmobilização de outras formas de ação política, que contribuam para pressionar essas instituições e superar os obstáculos que elas mesmas apresentam à promoção dos interesses dos grupos dominados.

---

[29] Susan Franceschet, Mona Lee Krook e Jennifer M. Piscopo, "Conceptualizing the impact of gender quotas", em idem (orgs.), *The impact of gender quotas* (Oxford, Oxford University Press, 2012), p. 8.

7
AUTONOMIA, DOMINAÇÃO E OPRESSÃO

Flávia Biroli

O indivíduo abstrato do liberalismo é alvo de uma série de críticas no debate feminista. O principal problema é que a universalização dos direitos correspondeu, ao mesmo tempo, a um movimento em direção à eliminação dos privilégios – todos seriam iguais, como cidadãos, na esfera pública – e a uma ficção, a de que é possível suspender as posições e as características concretas dos indivíduos em sociedades nas quais as esferas pública e privada são organizadas por hierarquias e relações de dominação e opressão. O feminismo pode ser visto como um herdeiro do liberalismo, com suas promessas de igual garantia de liberdade individual. Define-se, ainda, por tensões e antagonismos em relação ao pensamento e às instituições liberais. Uma das razões é justamente a crítica ao fato de que a noção liberal de indivíduo não permite considerar adequadamente, ou oculta, as desigualdades efetivas – de gênero, mas não apenas.

Valores caros ao liberalismo e a ampla parte do feminismo, como a liberdade e a autonomia individuais, estão, assim, no centro das tensões e dos antagonismos mencionados. A defesa da autonomia das mulheres nas abordagens feministas é acompanhada de críticas e redefinições do ideal liberal. São críticas que ora destacam sua pouca efetividade nas sociedades liberais – reconhecendo, no entanto, seu valor como orientação normativa –, ora defendem que ele expressa um ideal masculino de afirmação da individualidade, que seria distante das experiências e dos interesses de muitas mulheres.

Entre as abordagens, merece destaque a crítica ao voluntarismo, isto é, à correlação presumida entre autonomia, consentimento e escolhas voluntárias. O liberalismo opera com o pressuposto de que, na vigência de direitos formalmente iguais, o respeito às escolhas voluntárias feitas pelos indivíduos é um requisito e um ponto de chegada para a cidadania. Nesse caso, a ausência de coerção implica a possibilidade do exercício efetivo da liberdade, ainda que as escolhas voluntárias – no sentido de não coagidas – dos indivíduos os conduzam a relações de subordinação. Restrições ao exercício da autonomia são, no entanto, constitutivas das sociedades liberais. O acesso a recursos e o reconhecimento do valor e da capacidade dos indivíduos para definir a própria vida variam segundo suas características e sua posição nas relações de poder, entre elas o gênero. Desigualdades estruturais impactam as possibilidades de autodefinição e as oportunidades disponíveis para as pessoas.

A oposição entre esfera pública, domínio da autonomia e da liberdade civil, e esfera privada, domínio da sujeição e das hierarquias "naturais", compõe esse quadro. Os contratos de casamento e de trabalho são, por sua vez, exemplos do trânsito, e das acomodações, entre as duas esferas. Neles, indivíduos livres, mas socialmente vulneráveis em relação a outros, decidem livremente firmar contratos nos quais abrem mão de parte de sua possibilidade de autodeterminação, incluído em muitos casos o controle sobre o próprio corpo[1] e sobre a organização e o usufruto do tempo.

A crítica ao modo como as noções de consentimento voluntário e de escolha organizam o pensamento e as instituições liberais é um exemplo de como o feminismo pode manter a autonomia como ideal normativo relevante para a democracia, ferindo, no entanto, as bases do pensamento liberal[2]. No liberalismo, os contratos e os acordos são legítimos na medida em que são voluntariamente assumidos. É nesse sentido também que a obrigação diante dos governantes, para sua legitimidade, depende do consentimento voluntário dos indivíduos[3]. Mas são esses mesmos contratos que permitem que a perda de autonomia, se decorrente de um ato voluntário, seja aceitável. Para além da centralidade do contrato em autores fundamentais para o pensamento liberal moderno, como Thomas Hobbes e John Locke, e para o contemporâneo, como John Rawls, o liberalismo como doutrina abrangente dependeria, senão da ficção de um ato voluntário original de que todos tomariam parte como iguais, de outra ficção, a de que os indivíduos consentem voluntariamente em viver sob normas e formas de obrigação política que os vinculam e estabelecem as relações de autoridade.

A livre escolha é, assim, mais do que um ideal, uma condição para a legitimidade dos contratos e dos acordos. É justamente por isso que, no âmbito do pensamento e das instituições liberais, é possível aceitar a alienação parcial do direito dos indivíduos ao autogoverno. O foco na condição de liberdade do

---

[1] Carole Pateman, *The problem of political obligation*, cit; idem, *The sexual contract*, cit.

[2] Cf. Flávia Biroli, *Autonomia e desigualdades de gênero*, cit., cap. 3.

[3] Carole Pateman, *The problem of political obligation*, cit.

indivíduo quando consente voluntariamente com os termos de um contrato não diminui a relevância nem faz deixar de lado o problema de que o resultado desses contratos pode ser, e em muitos casos é, a submissão de alguns por outros. O autogoverno se torna, nessa crítica, o valor político central. Por isso é um problema se a condição inicial de livre escolha, como ausência de coerção, desdobra-se em restrições à liberdade futura dos indivíduos. Mesmo que não exista exploração em um contrato firmado voluntariamente, se ele permite relações "de domínio e subordinação em que se reduz a liberdade ou autonomia de uma das partes interessadas"[4], há aqui um problema do ponto de vista da produção de uma sociedade democrática.

A construção da democracia corresponderia, numa abordagem que busca justamente avançar na politização da teoria política, ao enfrentamento de dois problemas de primeira ordem: a redução da subordinação e a criação de uma sociedade mais democrática[5]. Em outras palavras, seria preciso recolocar o foco na conexão entre "as relações de subordinação civil e os problemas referentes à autonomia e à democratização"[6]. Mas, para isso, é necessário desnaturalizar o direito de alguns de governar outros, seja por meio do emprego, que instituiria o direito do empregador de dar ordens ao empregado, seja por meio do casamento ou de outros arranjos nos quais as relações de gênero se definem por assimetrias de recursos e de autoridade (em geral, pela complementaridade entre as duas). Nesses casos, comando e obediência constituiriam uma ordem "natural". Ganhando distância em relação ao liberalismo, a democracia dependeria de uma igualdade robusta como sua base[7].

CONSENTIMENTO E ESTUPRO

Nas teorias clássicas do contrato, o consentimento voluntário das mulheres foi considerado irrelevante. A dependência "natural"

---

[4] Idem, "Soberania individual e propriedade na pessoa", *Revista Brasileira de Ciência Política*, n. 1, 2009; a publicação original é de 2002, p. 196.

[5] Ibidem, p. 174.

[6] Ibidem, p. 190.

[7] Jane Mansbridge, "Carole Pateman: radical liberal?", em Daniel I. O'Neill, Mary Lyndon Shanley e Iris Marion Young (orgs.), *Illusion of consent: engaging with Carole Pateman* (University Park, The Pennsylvania State University Press, 2008), p. 23.

em relação aos homens faria delas menos do que cidadãs, logo o ideal da autonomia não se aplicaria a elas ou se aplicaria apenas parcialmente. Mesmo a propriedade de si foi codificada de maneiras distintas para homens e mulheres. O direito paternal e dos cônjuges restringia a liberdade das mulheres e determinava, em muitos sentidos, sua vida sexual e reprodutiva. É nesse contexto que se naturalizam, no mundo moderno, a agressividade masculina e a passividade feminina – traços considerados desejáveis e, ao mesmo tempo, expressivos de diferenças naturais entre os sexos. O "não" proferido pelas mulheres nas relações afetivas e sexuais evocaria uma moral na qual a modéstia e a honra corresponderiam à duplicidade. As mulheres "deve[ria]m sempre dizer 'não' mesmo quando deseja[sse]m dizer 'sim'", como se vê de modo exemplar nas orientações distintas dadas por Rousseau a Sofia e a Emílio, e a recusa em consentir foi por isso vista como algo "aparente" e que não poderia, em uma mulher, ser tomado como tal[8].

A negação da realidade do estupro decorre amplamente do fato de que a validade do consentimento dos indivíduos é distintamente considerada se são homens ou mulheres – e isso se agrava quando se leva em consideração a posição de classe dessas mulheres e possíveis "desvios" em sua vida sexual em relação aos códigos morais predominantes. Há especificidades na violência sexual em relação a outros aspectos das hierarquias e da tolerância à subordinação nas sociedades contemporâneas, mas as abordagens distintas do consentimento voluntário no cotidiano e nos processos judiciais sobre violência sexual expõem os limites da compreensão de que no liberalismo os indivíduos são iguais em sua liberdade e sua capacidade de escolher, consentindo ou recusando.

As conquistas do feminismo na legislação relativa à violência doméstica e ao estupro se apresentam como avanços não apenas na contenção dessas formas de agressão contra a mulher, de modo mais específico, mas também na definição do direito das mulheres

---

[8] Carole Pateman, *The disorder of women* (Stanford, Stanford University Press, 1989), p. 76.

à autodeterminação. As hierarquias nas duas esferas, privada e pública, potencializam uma posição de maior vulnerabilidade para as mulheres, relativamente aos homens, na medida em que restringem sua autonomia de diversas maneiras – do controle sobre o próprio corpo ao acesso a recursos materiais e simbólicos que viabilizam o autogoverno. As mudanças na legislação convivem com a manutenção de formas cotidianas de violência representadas, entre outras, pelo alto número de estupros e de assassinatos de mulheres por homens com quem elas tiveram relações afetivas (mesmo que se considere como positivo o maior registro das denúncias). Há, assim, indícios de que essas formas de violência são, em algum grau, toleradas socialmente, mantendo-se como uma "possibilidade constante no horizonte da imaginação social vigente"[9]. A violência contra a mulher pode ser entendida como uma prática social, e não individual, "sistêmica porque dirigida a membros de um grupo simplesmente porque eles são membros daquele grupo"[10]. O estupro seria "nada mais, nada menos que um processo consciente de intimidação pelo qual todos os homens mantêm todas as mulheres num estado de medo"[11]. É parte da experiência compartilhada do grupo, no sentido de que a vulnerabilidade dos indivíduos à violência se deve a seu pertencimento de grupo.

A divisão sexual do trabalho também precisa ser discutida do ponto de vista do exercício da autonomia por mulheres e homens. Ela está na base do acesso diferenciado a recursos, a tempo – para dedicação ao trabalho, mas também o tempo livre –, a experiências distintas e ao desenvolvimento de aptidões que se convertem em alternativas. Tem relação direta com a socialização, também distinta, de meninas e meninos e com a construção diferenciada de horizontes de possibilidade para mulheres e homens, desde a infância. Esse é um dos

---

[9]   Iris Marion Young, *Justice and the politics of difference*, cit., p. 62.
[10]   Idem.
[11]   Susan Brownmiller, *Against our will*, cit., p. 15.

sentidos em que nascer homem ou mulher tem impacto sobre as possibilidades de exercício da autonomia.

A importância variável do casamento para mulheres e homens, em muitas sociedades, assinala uma parte dos problemas que esse debate expõe. A "opção" por ocupar as posições convencionalmente definidas no casamento, por outro lado, incide de maneira distinta sobre a sua vida. Um exemplo, bastante fincado na experiência das mulheres de classe média, mas ainda assim útil para a exposição desse problema, é o da mulher que, ao casar-se ou ter filhos, opta por não mais exercer trabalho remunerado, ativando a divisão sexual convencional do trabalho. Assim fazendo, torna-se dependente financeiramente do cônjuge ou de outros familiares, tem suas redes e suas aptidões não domésticas e/ou profissionais diminuídas, torna-se vulnerável no caso de uma separação ou sente-se vulnerável demais para escapar a uma relação violenta ou que simplesmente não deseja mais manter. Sua decisão, ainda que "autônoma" e não coagida quando vista de forma isolada, termina por inseri-la em "ciclos de vulnerabilidade socialmente causada e distintamente assimétrica"[12].

Entre as mulheres para as quais essa não é uma alternativa, uma vez que nenhum adulto na família recebe um salário que garanta o sustento de todos os seus membros, a divisão sexual do trabalho tem peso ainda maior. Historicamente, essas mulheres não tiveram sua experiência restrita à esfera doméstica, mas acumulam, com frequência, empregos com baixa remuneração e a responsabilidade pelo trabalho doméstico e o cuidado com os filhos. A divisão sexual do trabalho no âmbito doméstico, juntamente com a baixa oferta de serviços como creches, reduz ainda mais as opções e o tempo livre das mulheres pobres e negras[13], ou seja, o pertencimento a um grupo social, a partir de um aspecto determinado da identidade dos indivíduos, não define isoladamente sua posição. É a interação entre diferentes "traços" e diversos elementos das suas trajetórias e pertencimentos que define sua identidade. Vantagens e constrangimentos estão associados a esses "traços" distintos. No feminismo, as experiências das mulheres brancas e negras, trabalhadoras e das classes médias, heterossexuais e homossexuais, compõem desafios complexos para a análise das condições de exercício da autonomia.

---

[12] Susan Moller Okin, *Justice, gender, and the family*, cit., p. 138.
[13] Bell Hooks, *Feminist theory*, cit.; Angela Y. Davis, *Women, race & class*, cit.

Numa das frentes em que essas distinções são analisadas, ganha destaque o debate feminista sobre a relação entre gênero, formação das preferências e reprodução das desigualdades. A análise das preferências no feminismo remete à economia material, política e simbólica em um dado contexto social, fortalecendo a crítica à ficção de que os indivíduos se definem a despeito e independentemente do contexto em que vivem. As "preferências adaptativas" ou "aprendidas" são um problema central para a análise crítica da reprodução das desigualdades de gênero, levando a discussões que superam a oposição entre autonomia e coerção em direção a compreensões mais complexas e matizadas dos processos sociais[14]. Permitem expor, assim, as restrições diferenciadas que se impõem à autonomia das mulheres e dos homens – e, entre elas, de diferentes mulheres, uma vez que raça e classe social incidem, sem dúvida, sobre barreiras e possibilidades.

A ênfase nas experiências singulares dos indivíduos pode ocultar padrões estruturais de opressão. As preferências aprendidas ou adaptativas podem funcionar como dispositivos para acomodar conflitos e reproduzir, com baixo custo, as relações de poder. A valorização da maternidade é um exemplo de como isso se dá. A sobreposição entre mulher e maternidade colaborou, historicamente, para limitar a autonomia das mulheres. Um de seus aspectos é a restrição a determinadas atividades e formas de vida que foram consideradas conflitivas com a divisão sexual do trabalho, assim como o controle da sexualidade e da capacidade reprodutiva das mulheres. Porém, tão importante quanto as restrições é a construção da maternidade como valor positivo em um quadro que promove identidades de gênero convencionais[15], naturalizando a divisão sexual do trabalho dentro e fora de casa e afirmando uma posição "especial" e mesmo "exclusiva" para as mulheres no cuidado com as crianças e na gestão da vida doméstica. É difícil, nesse caso, dissociar o que é restrição daquilo que é identidade socialmente valorizada. Não há, por outro lado, como separar as formas de dominação ativadas pela naturalização da representação das mulheres como mães e o que há de singular e significativo na vivência da maternidade pelas próprias mulheres. Ainda que esteja na base de compreensões socialmente

---

[14] Martha C. Nussbaum, *Woman and human development: the capabilities approach* (Cambridge, Cambridge University Press, 2008; a edição original é de 2000); Anne Phillips, *Gender and culture*, cit.

[15] Elisabeth Badinter, *Un amour en plus*, cit.

legitimadas *e vivenciadas individualmente de modo significativo*, a própria definição de determinados atributos e comportamentos como femininos oculta o fato de que "não têm quaisquer conexões intrínsecas ou necessárias, mas apenas ideológicas, com as mulheres ou o corpo feminino"[16].

Um dos problemas que se colocam é a complexidade da relação entre formação das preferências e agência. As formas de vida assumidas pelos indivíduos, assim como suas preferências e suas identidades, são socialmente produzidas, mas individualmente vividas. Isso significa, entre outras coisas, que as restrições que é preciso reconhecer ao analisar as condições estruturais para o exercício da autonomia, no que podemos chamar de dimensão crítica sociológica, não impedem que se considerem legítimas as motivações dos indivíduos. Nesse caso, o da dimensão normativa da autonomia, trata-se de considerar e respeitar a condição dos indivíduos como agentes morais. As identidades, mesmo quando são produzidas em contextos desfavoráveis à aquisição, pelos indivíduos, das competências e dos recursos necessários ao exercício da autonomia, podem ser caras e, em muitos sentidos, podem mesmo ser o que há de mais caro a esses indivíduos. Desconsiderá-las significaria estabelecer uma distinção entre os indivíduos que, com sua visão e suas prioridades, terão sua vida considerada como um valor em si mesmo e outros cujas experiências serão vistas como de menor valor e cujas vidas poderão ser tratadas instrumentalmente.

BELEZA E OPRESSÃO

"As imagens da beleza são utilizadas contra as mulheres." Essa afirmação está contida no subtítulo do livro *O mito da beleza*, publicado por Naomi Wolf em 1991. Padrões de beleza e a busca pela aprovação da própria aparência orientam ao menos parcialmente a vida de muitas mulheres. Colaboram para reproduzir as desigualdades de gênero, mas suas incitações não são, necessariamente, percebidas como opressivas. As formas de coerção social antes ativadas pela valorização da maternidade, da castidade e da passividade agora prescrevem comportamentos por meio de um ideal da "beleza domesticada"[17]. Beleza e moda,

---

[16] Toril Moi, *What is a woman?*, cit., p. 104.

[17] Naomi Wolf, *The beauty myth: how images of beauty are used against women* (Nova York, Harper Perennial, 2002 [1991]), p. 14.

como ideologias, promoveriam a subordinação das mulheres, ainda que a adesão delas próprias a esses padrões possa ser entusiástica e apaixonada[18].

Em algumas abordagens, entende-se que o ideal da beleza coloca por terra a relação entre aparência e liberação feminina no Ocidente. Formas distintas de prescrição da aparência, como a proibição de que o corpo da mulher – e mesmo o rosto – seja deixado à mostra em partes do mundo islâmico e o estímulo a um corpo "perfeito" e exposto no mundo ocidental, teriam como objetivo a satisfação dos homens. Nos dois casos, a diferença entre o feminino e o masculino seria dicotomicamente afirmada e construída como "deferência"[19].

Enquanto abordagens pós-estruturalistas no próprio feminismo avançam na direção da reinvenção dos corpos como forma de redefinição das identidades[20], as abordagens críticas ao ideal da beleza mostram seu papel na reprodução de posições de subordinação para as mulheres.

O investimento de tempo e de recursos financeiros na aparência expõe a permanência de padrões desiguais de gênero. As expectativas sociais de que o investimento na autoapresentação seja prioritário são dirigidas às mulheres, não aos homens. Em seguida, o maior ou o menor sucesso nos resultados dos esforços para aproximar-se dos padrões vigentes de beleza é mobilizado em julgamentos que têm efeito nas oportunidades das mulheres, na construção das suas carreiras. Assim, a ideologia da beleza colabora para convencer as mulheres de que elas têm pouco controle sobre a própria vida e poucas opções, numa dinâmica em que os ambientes de trabalho "as recompensam indiretamente como se estivessem vendendo seus corpos", enquanto as limitam

---

[18] Sheila Jeffreys, *Beauty and misogyny: harmful cultural practices in the West* (Londres, Routledge, 2005), p. 15.

[19] Ibidem, p. 44.

[20] Um exemplo é Judith Butler, *Bodies that matter*, cit.

> a empregos nas áreas tradicionalmente definidas como femininas, a empregos de salto alto e *status* baixo[21].
>
> Além de azeitar as engrenagens de gênero, o ideal da beleza implica sofrimento, baixa autoestima e pode ter efeitos concretos na saúde das mulheres. Basta pensar nas dietas e nas cirurgias plásticas, mas também no cotidiano de trabalho sobre saltos altos e na busca repetida e permanentemente frustrada por uma aparência jovem. Os mecanismos opressivos da beleza parecem atravessar as divisões de classe e raça, ainda que o investimento de tempo e de dinheiro varie entre mulheres brancas e negras, ricas e pobres. A magreza, por exemplo, se define como ideal que ultrapassa sua origem social e se impõe como referência[22]. A definição do feminino pelo olhar masculino, predominante nos meios de comunicação e na publicidade, é um dos dispositivos para a reprodução ampla desses padrões. Fortalecem-se, assim, ideais e estereótipos que prescrevem comportamentos.

Os debates teóricos no feminismo colaboram para avançar na análise das restrições à autonomia das mulheres porque incorporam a complexidade da dinâmica de produção das preferências. Apontam para a necessidade de validar as preferências e as escolhas dos indivíduos, valorizando sua experiência[23] e sua "autonomia decisória"[24], ainda que essas se definam em meio a redes intrincadas de incitações e constrangimentos sociais. Ganha importância, nesse caso, a observação simultânea da permanência de relações opressivas e das ressignificações das normas e das convenções sociais ao longo do tempo, com seu impacto para a vivência dos indivíduos e a construção das identidades. É preciso, por outro lado, considerar as contribuições importantes de abordagens que focam as amarras do sexismo e como elas impedem a ampliação das condições necessárias

---

[21] Naomi Wolf, *The beauty myth*, cit., p. 50; Catharine A. MacKinnon, *Toward a feminist theory of the State*, cit., p. 95.

[22] Susan Bordo, *Unbearable weight: feminism, Western culture, and the body* (Berkeley, University of California Press, 1993).

[23] Drucilla Cornell, *At the heart of freedom*, cit.; Marilyn Friedman, *Autonomy, gender, politics* (Oxford, Oxford University Press, 2003); Iris Marion Young, *On female body experience*, cit.

[24] Jean L. Cohen, "Rethinking privacy", cit., p. 149.

à autodeterminação das mulheres. São elas que dirigem a atenção para o fato de que a gramática da dominação é internalizada não apenas pelos homens, mas também pelas mulheres[25]. Numa expressão-limite desse entendimento de como se dá a internalização da dominação,

> você aprende que a linguagem não pertence a você, que você não pode usá-la para dizer o que você sabe, que o conhecimento não é o que você aprende a partir da sua própria vida, que a informação não se define a partir da sua experiência [...]. Você desenvolve uma identidade que é agradável e subserviente e imitativa e agressivamente passiva e silenciosa – você aprende, em uma palavra, a feminilidade.[26]

Há, nessa abordagem, uma compreensão da internalização dos padrões convencionais de gênero como alienação. Justamente por isso, ela pode conduzir à anulação da validade das preferências e das escolhas daquelas que estão em posição de desvantagem. No limite, elas não seriam capazes de distinguir entre alternativas indesejáveis e desejáveis, do ponto de vista dos seus interesses e, sobretudo, do exercício da autonomia. O risco é, assim, ignorar as perspectivas das próprias mulheres, desconsiderando-as como indivíduos capazes de definir suas preferências e de realizar escolhas legítimas. Em outras palavras, existe o risco de ampliar o peso das relações de opressão e de dominação. Uma das alternativas é o entendimento de que a recuperação da experiência das mulheres dependeria de uma consciência compartilhada da dominação, das desvantagens e dos sofrimentos implicados em sua posição social. Poderiam, assim, ressignificar suas experiências – daí as apostas nos grupos de mulheres[27].

Considerada tal problemática, essas abordagens alertam para o fato de que há obstáculos para que as perspectivas daqueles que estão em posição de desvantagem tenham validade social e política. Por isso a formação e a reprodução de preferências que justificam o *status quo* e naturalizam as hierarquias se tornam problemas políticos de primeira ordem. As assimetrias no controle dos recursos para formação das preferências são um problema central para a democracia. É fundamental compreender quem controla os recursos para

---

[25] Simone de Beauvoir, *Le deuxième sexe*, cit.; Catharine A. MacKinnon, *Toward a feminist theory of the State*, cit.; Pierre Bourdieu, *La domination masculine* (Paris, Seuil, 1998).

[26] Catharine A. MacKinnon, *Only words*, cit., p. 6-7. A autora se refere aqui ao fato de que abusos masculinos, preservados em nome da liberdade de expressão, na realidade privariam as mulheres da possibilidade de se expressar, especialmente contra o abuso sexual (ibidem, p. 9).

[27] Idem, *Toward a feminist theory of the State*, cit., p. 90, por exemplo.

a produção e a circulação de discursos que estimulam compreensões, concepções e hábitos, incentivando nesse processo a formação de determinadas preferências e colaborando para tornar outras menos visíveis, menos expressivas socialmente.

Considerando agora outra frente no debate feminista sobre autonomia, a análise das formas correntes, mas diferenciadas, de restrição à autonomia dos indivíduos também ganhou forma em críticas a concepções que corresponderiam a percepções do indivíduo apartado e isolado das relações sociais. Nesse caso, autonomia e autossuficiência são tomadas como equivalentes. As relações de dependência são, assim, elevadas a questões sociais e políticas, afastando-as do estigma do desvio que as define em análises que enfatizam a responsabilidade individual. O fato de que decisões não coagidas colaborem, correntemente, para reproduzir as condições de maior vulnerabilidade das mulheres conduz também à problematização do efeito de condicionantes estruturais, econômicas e institucionais sobre as alternativas disponíveis para os indivíduos[28].

Esse é o ponto de partida para análises que mantêm o valor da autonomia, mas procuram desvinculá-lo das noções correntes de responsabilidade individual. O indivíduo autônomo não é aquele que determina inteiramente a própria vida; essa é uma abstração que colabora para valorizar quem está em posição vantajosa em determinados contextos e arranjos institucionais, ao mesmo tempo que caracteriza como desviantes aqueles que não "dão conta" de si. Em outras palavras, as formas sociais de produção da vulnerabilidade são enfrentadas, em vez de se presumir que as ações individuais poderiam ser explicadas como desdobramentos de decisões responsáveis, que levariam à autonomia e à independência, ou de decisões pouco razoáveis, que conduziriam, por sua vez, à dependência e à impossibilidade de cuidar de si e dos seus[29].

A valorização da intersubjetividade, das interações e do cuidado com os mais vulneráveis aproxima algumas dessas análises às correntes maternalistas. Jean Elshtain, discutida em capítulos anteriores, entende que as representações correntes do indivíduo silenciam sobre as formas de dependência e os afetos – e avança para a definição desses como a base para valores que se afastam, justamente, da afirmação da autonomia como ideal de referência[30]. O contraponto entre ética do cuidado, ou relacional, e ética da justiça, discutido no capítulo 2

---

[28]   Iris Marion Young, *Responsibility for justice* (Oxford, Oxford University Press, 2011).

[29]   Flávia Biroli, *Autonomia e desigualdades de gênero*, cit., cap. 4 e 5.

[30]   Jean Bethke Elshtain, *Real politics*, cit.

deste volume, sobre público e privado, define uma valorização alternativa da empatia e da autonomia. Essa oposição foi criticada porque desconsideraria a possível complementaridade entre os princípios da empatia e da universalidade, em noções de justiça redefinidas a partir da problemática de gênero[31], mas também porque não expressaria suficientemente o fato de que a valorização das relações de cuidado não prescinde de garantias para a autonomia individual[32].

Foi essa problematização que permitiu que a autonomia fosse definida como um mito. A crítica é ao mito do indivíduo que determina a si mesmo e independe das relações de sociabilidade nas quais se situa, assim como dos contextos institucionais em que sua vida toma forma[33]. Porém a distinção entre autonomia e autossuficiência pode ser importante, nessa crítica, para preservar os valores associados à autonomia como autodeterminação, sem incorrer no discurso da responsabilização dos indivíduos, destacados dos constrangimentos e das possibilidades que são definidos estruturalmente[34]. É uma posição teórica e política que afasta a crítica aos limites do conceito liberal de autonomia do pensamento maternal, ao mesmo tempo que permite destacar as relações de dependência como questões políticas de primeira ordem.

A privatização das relações de cuidado e dependência oculta seu impacto diferenciado na vida de mulheres e homens – as primeiras são tipicamente prejudicadas por estar na posição de cuidar dos mais vulneráveis, em atividades não remuneradas ou mal remuneradas. Impede, ainda, a tematização adequada das conexões entre dependência e desigualdades. Por isso, outro caminho possível para essa análise é a distinção entre relações de dependência indesejáveis – aquelas que restringem a autonomia dos indivíduos porque estão em posições de vulnerabilidade socialmente causada – e formas incontornáveis de dependência, que são parte da vida em qualquer sociedade e precisariam ser tratadas de modo apropriado. Sem uma abordagem pertinente, as últimas são fatores importantes na reprodução das primeiras, isto é, das formas indesejáveis de dependência e das desigualdades de gênero e de classe[35]. A privatização do

---

[31] Susan Moller Okin, "Reason and feeling in thinking about justice", cit.

[32] Sara Ruddick, "Injustice in families: assault and domination", em Virginia Held (org.), *Justice and care* (Oxford, Westview, 1995).

[33] Martha Albertson Fineman, *The autonomy myth*, cit.

[34] Iris Marion Young, *Intersecting voices*, cit., p. 125-6.

[35] Essa é, em linhas gerais, a orientação de Martha Albertson Fineman, *The autonomy myth*, cit. Cf. também: Linda C. McClain, *The place of families*, cit.

cuidado com os mais vulneráveis, associada à visão convencional sobre papéis e responsabilidades de gênero, resultaria na redução sistemática da capacidade de agência autônoma pelas mulheres. As restrições nos recursos materiais e no acesso a tempo livre para participação na vida política, por exemplo, podem ter seus efeitos ampliados quando se considera a privatização das relações de cuidado a partir de uma perspectiva de classe e de raça.

Quanto menores são os recursos e os mecanismos públicos para apoiar indivíduos e famílias na tarefa de cuidar dos dependentes, maior é o impacto da dedicação a essa tarefa no exercício de outras atividades, sobretudo daquelas remuneradas, e na construção de carreiras profissionais. Essa questão é central à análise crítica da privatização dos problemas definidos como familiares e das desigualdades que daí decorrem, como foi discutido no capítulo 3, sobre justiça e família. Ao mesmo tempo, a posição de quem tem como alternativa a contratação de serviços privados é muito distinta da de quem não tem. Do lado das contratadas, em geral mulheres negras e pobres, com menos alternativas no mundo do trabalho do que as mulheres de classe média, a desvalorização social do cuidado se desdobra em má remuneração e direitos precários. As desvantagens se acumulam, produzindo maior vulnerabilidade e dependência.

Os debates sobre autonomia no feminismo colaboram, em suas vertentes diversas, para trazer novos ângulos às análises sobre a acomodação entre direitos formais e desigualdades. A noção liberal de autonomia como suspensão da posição concreta do indivíduo nas relações de poder é considerada insuficiente ou equivocada em seus pressupostos, enquanto, em outra frente, a independência do indivíduo em relação ao mundo social é descartada como enganosa. Ganha destaque o fato de que as relações estruturais e as formas correntes de organização da vida em comum reduzem o espaço de autonomia de alguns (especialmente de algumas). O foco se desloca da eliminação da coerção física e das restrições legais, incorporando os padrões de socialização que estruturam expectativas e comportamentos, bem como o acesso aos recursos materiais. Em sentidos distintos, até mesmo conflitivos, esses debates redefinem a noção de autonomia ao problematizá-la a partir da posição das mulheres nas relações de poder e de sua especificidade, em comparação aos homens, no usufruto dos direitos nas democracias contemporâneas.

8
O DEBATE SOBRE ABORTO

Flávia Biroli

O debate sobre aborto no feminismo pode ser visto, em primeiro lugar, como um desdobramento da visão crítica das relações entre a esfera privada e a esfera pública, com a politização do que ocorre na primeira e o entendimento de que o modo de organização de uma delas está vinculado, permanentemente, ao modo de organização da outra. As hierarquias e o grau de liberdade dos indivíduos na esfera privada têm impacto direto sobre sua vida na esfera pública e no processo de construção de sua identidade. O direito ao aborto pode ser, assim, situado em um domínio da vida e das escolhas individuais que é profundamente pessoal, ao mesmo tempo que é político.

Um dos âmbitos da luta e das teorias feministas em que o aborto é um tópico central é o dos direitos reprodutivos ou da autonomia reprodutiva. Ele compreende o acesso a informações e recursos que permitem à mulher o controle sobre sua vida reprodutiva. A maternidade vem sendo, ao mesmo tempo, um aspecto importante da vida e da identidade de muitas mulheres e fonte do controle e da opressão por parte do Estado e dos homens que lhes são próximos. Anticonceptivos e aborto são necessários para que a maternidade não seja compulsória. O direito ao aborto, especialmente, confronta a idealização da maternidade, que é um modo de representação de um papel compulsório como se fosse tendência natural e desejo comum de todas as mulheres.

Além disso, muitas feministas vêm destacando o fato de que sem o controle sobre a reprodução, as mulheres dificilmente conseguirão atuar profissional e politicamente com maior igualdade em relação aos homens. É essa atuação, além disso, que permite a elas os recursos e a ocupação de posições para que possam discutir formas de organização da vida doméstica que não as penalizem ao responsabilizá-las primordialmente pela gestão cotidiana da vida e pela criação dos filhos. É também, em outra frente, uma forma de tomar parte na construção de políticas relacionadas à reprodução e de normas voltadas, por exemplo, à regulação das novas tecnologias reprodutivas.

O aborto ganha destaque na agenda feminista também em um segundo âmbito, o da defesa da liberdade sexual. O acesso a informações e recursos que permitam que as mulheres escolham se e quando serão mães é, por essa ótica, como na dos direitos reprodutivos, fundamental para uma maior igualdade com os homens. As consequências de uma gravidez involuntária são distintas para as mulheres e para os homens. A gestação é um dos traços distintivos nessa experiência – traço que há algumas décadas se poderia considerar incontornável, mas que as novas tecnologias reprodutivas permitiram ressignificar. Porém é diferente para elas e eles também pelas convenções que atribuem a responsabilidade prioritária ou exclusiva pelos filhos às mulheres, ainda que as leis determinem que os pais sejam responsáveis por parte do sustento material das crianças e, em alguns casos, existam subsídios estatais. Além disso, as conexões entre maternidade e sexualidade têm sido mobilizadas para restringir a autonomia das mulheres. A relevância social e/ou moral da primeira, em geral associada a concepções convencionais da família, justificaria o controle da sexualidade das mulheres. O acesso a anticoncepcionais e ao aborto permite desvincular uma e outra. O controle sobre as consequências do sexo poderia ser, assim, parte da construção de uma vida sexual mais prazerosa e menos atada a convenções definidas pelas posições de poder e pelos interesses masculinos.

Em todos esses temas, o debate feminista é feito de posições diversas e, muitas vezes, concorrentes. Começando pelo segundo âmbito mencionado, a liberdade sexual não é vista como intrinsecamente positiva por todas as feministas, e isso tem desdobramentos nas posições sobre o aborto. Na visão de Catharine MacKinnon, que é representativa dessa posição, em sociedades nas quais as relações heterossexuais correspondem largamente a formas de dominação e violência contra as mulheres, a legalização do direito amplo das mulheres ao aborto poderia ser uma forma de reduzir ainda mais os custos dessas relações para os homens. Nessas circunstâncias, as consequências das relações sexuais seriam distintas para mulheres e homens, e o peso da decisão de abortar, ou a responsabilidade pela criação de um filho em condições muitas vezes indesejáveis, recairiam sobre as mulheres. O enfoque no direito a decidir sobre o aborto deixaria de lado um problema anterior, a ausência de autonomia das mulheres nas relações sexuais com homens, em sociedades machistas. Assim, "enquanto as mulheres não controlam o acesso a sua sexualidade, o aborto facilita a disponibilidade sexual das mulheres" e o sentido da liberação sexual em contextos nos quais há desigualdade de gênero seria, portanto, liberação para a agressividade masculina[1].

Ainda que de uma perspectiva distinta, o feminismo centrado no cuidado ou no maternalismo também é reticente sobre o direito ao aborto. Nesse caso, a compreensão de que a experiência diferenciada das mulheres contribuiria para uma ética centrada no cuidado, nas relações e na responsabilidade, em vez de uma ética centrada nos direitos, afasta as abordagens da própria noção de direito ao aborto como requisito para a autonomia das mulheres. Em alguns casos, destaca-se a tensão entre o direito das mulheres a escolher e as convenções da feminilidade, que incluiriam "a equação moral entre bondade e autossacrifício"[2]. Em posições que se aproximam do ativismo católico contrário ao direito ao aborto, o que é tomado como experiência feminina singular, relacionada à maternidade e ao cuidado, leva à aceitação dos enquadramentos do aborto a partir do valor da vida do feto[3]. A ênfase nos significados que seriam atribuídos pelas mulheres às relações e, sobretudo, a valorização das tradições comunitárias e da família conduzem, nesse último caso (o de Elshtain), a uma posição desfavorável à autonomia individual das mulheres em relação ao aborto.

RELIGIÃO E O DEBATE SOBRE ABORTO

O debate atual sobre o direito ao aborto tornou-se mais polarizado e ganhou destaque na agenda política em diversos países do Ocidente nas últimas décadas. No início do século XXI, as posições "pró-vida", vinculadas principalmente à Igreja católica, e "pró-escolha", ligadas aos movimentos feministas, são parte das clivagens nas disputas eleitorais e político-partidárias. Enquanto os argumentos "pró-escolha" são centrados nos direitos das mulheres, os argumentos "pró-vida" destacam, sobretudo, o valor da vida do feto de uma perspectiva religiosa[4].

---

[1] Catharine A. MacKinnon, *Feminism unmodified*, cit., p. 99.

[2] Carol Gilligan, *In a different voice*, cit., p. 70.

[3] Jean Bethke Elshtain, *Public man, private woman*, cit., p. 312-3.

[4] Para o caso brasileiro, cf. Maria Isabel Baltar da Rocha, "A discussão política sobre o aborto no Brasil", *Revista Brasileira de Estudos Populacionais*, v. 23, n. 2, 2006, e Maria das Dores Campos Machado, "Aborto e ativismo religioso nas eleições de 2010", *Revista Brasileira de Ciência Política*, n. 7, 2012.

Tomando parte nesse debate, Ronald Dworkin entende que não é possível sustentar logicamente a afirmação de que um feto tenha interesses próprios antes de ter vida mental. A noção de interesse próprio, que está na base do reconhecimento do direito à autonomia individual no liberalismo, depende de alguma forma de consciência. Para o autor, no entanto, o argumento de que a vida é inviolável deveria ser levado a sério inclusive por aqueles que defendem o direito ao aborto – estaria já na base dos valores e das concepções de muitos dos ativistas "pró-escolha"[5].

Um primeiro problema que se poderia levantar aqui é que a afirmação de que a vida é sagrada porque é criação divina, que está na base das posições religiosas contrárias ao aborto, não permite considerar de maneira adequada as vidas já presentes e existentes. Por isso, a inviolabilidade da vida como investimento humano e criativo, assim destacada pelo próprio Dworkin, fica de fora da agenda dos movimentos contrários ao aborto. Eles promovem uma visão conservadora da vida, em grande parte amparada em concepções sexistas que o feminismo procura superar. Em vez do direito das mulheres a decidir sobre si e sobre o que se passa em e com seu corpo, afirmam que esse corpo tem significados que o tornam alheio à própria mulher. Em sua maioria, defendem expressamente arranjos familiares e papéis de gênero opressores para as mulheres ou tratam do direito à vida de maneira neutra do ponto de vista das relações de gênero, silenciando sobre as mulheres como agentes, sobre suas necessidades e sobre o contexto em que ocorre a gravidez[6]. Vale destacar, ainda, que o fundamento religioso para a obstrução de direitos individuais compromete a laicidade do Estado e, com isso, a cidadania e a construção de uma sociedade plural e democrática.

---

[5] Ronald Dworkin, *Domínio da vida: aborto, eutanásia e liberdades individuais* (São Paulo, Martins Fontes, 2009). A edição original é de 1993.

[6] Dorothy McBride Stetson (1996). "Feminist perspectives on abortion and reproductive technologies", em Marianne Githens e Dorothy MacBride Stetson (orgs.), *Abortion politics: public-policy in crosscultural perspective* (Nova York, Routledge, 1996), p. 222.

O debate sobre o aborto coloca em pauta questões fundamentais para a democracia e a cidadania. Ainda que esteja dentro dos limites da tradição liberal, a *propriedade de si mesmo* é a base indispensável para o acesso à cidadania e a criminalização do aborto gera grave assimetria, impondo às mulheres limitações no manejo do próprio corpo com as quais os homens não sofrem[7]. A tematização do direito ao corpo envolve a exigência de que a *propriedade de si*, nos termos definidos pelo próprio liberalismo, seja extensiva a todos os indivíduos. Ela, porém, está em descontinuidade, ou mesmo ruptura, com a concepção liberal do indivíduo porque expõe os limites de uma abstração. Não é apenas que os direitos não sejam de fato universalmente usufruídos, eles precisariam ser definidos a partir da posição específica e concreta dos indivíduos. Assim, para as mulheres, a manutenção ou a interrupção de uma gravidez tem impacto distinto daquele que tem para os homens porque afeta diferentemente sua integridade física[8].

Do mesmo modo, não é preciso ultrapassar o liberalismo para afirmar que o que ocorre no e ao corpo de um indivíduo deve ser fruto de uma decisão própria, consentida. No feminismo "pró-escolha", o direito da mulher de definir o que ocorre com seu corpo pode ser entendido a partir de algumas premissas: (a) nenhum contato com o corpo do indivíduo pode existir sem seu consentimento, o que enfatiza a extensão da noção de escolha ao âmbito da integridade física, evitando críticas como as de Catharine MacKinnon, de que a defesa do direito ao aborto não problematizaria as assimetrias nas relações sexuais[9]; (b) a decisão sobre manter uma gravidez, nutrir e sustentar biologicamente outro indivíduo deve ser da mulher, isto é, geração, gestação e maternidade têm de ser decisões consentidas e informadas para que o direito das mulheres à autonomia seja preservado. Mas é a crítica aos limites do liberalismo que permite destacar uma terceira premissa: (c) o direito à escolha no caso do aborto deve ultrapassar o sentido negativo da liberdade que está aí envolvida. Isso significa que deve ser apoiado pelo Estado por meio de políticas públicas de combate à violência, de orientação para o respeito às decisões individuais e de atendimento adequado na área de saúde. Caso contrário, ficaria restrito

---

[7]   Cf. Luis Felipe Miguel, "Aborto e democracia", *Revista Estudos Feministas*, v. 20, n. 3, 2012.

[8]   Judith Jarvis Thomson, "A defense of abortion", *Philosophy & Public Affairs*, v. 1, n. 1, 1971.

[9]   Catharine A. MacKinnon, *Feminism unmodified*, cit.

a uma situação em que "mulheres privilegiadas têm direitos"[10]. Poderia haver liberdade sem necessariamente haver justiça, aqui entendida como igualdade de condições para o usufruto dessa liberdade.

Essa última premissa tem sido a base de ressalvas e críticas ao direito ao aborto definido como direito à privacidade. Esse é o caso da decisão da Suprema Corte que legalizou o aborto nos Estados Unidos no famoso caso Roe *versus* Wade, de 1973, mas sobretudo em Harris *versus* McRae, de 1981, que adicionou à primeira decisão o entendimento de que o Estado não tem de prover os recursos para o aborto. Assim concebida, a legislação preservaria intacta a oposição entre público e privado e as formas de opressão a que corresponde, além de não avançar na garantia efetiva desse direito.

Nesse ponto, as controvérsias sobre a privacidade no feminismo ganham relevância para o debate sobre o aborto. Um dos avanços importantes do liberalismo, historicamente vinculado ao direito à liberdade de crença e de expressão, é a afirmação de que o respeito aos indivíduos inclui o respeito a seu julgamento sobre o que é importante para si. Para as feministas que julgam correto que o direito ao aborto seja amparado, legalmente, pelo direito à privacidade, o que está em questão é a garantia da autonomia dos indivíduos. Os argumentos de Jean Cohen, mas também os de Drucilla Cornell, estão entre os que representam claramente essa posição. Segundo elas, é preciso ao mesmo tempo assegurar a autonomia dos indivíduos sobre sua capacidade reprodutiva e evitar formas de controle por parte do Estado, ainda que estejam fundadas nas concepções de uma maioria. A privacidade não se restringe ao direito a ser deixado em paz – que poderia, na realidade, justificar formas convencionais da divisão entre o público e o privado –, mas permite preservar aspectos íntimos e relevantes da vida dos indivíduos. Há, nesse caso, uma continuidade entre as noções de personalidade inviolável e de integridade corporal. A primeira remete ao entendimento de que todo indivíduo "merece igual preocupação e respeito", protegendo nossas particularidades, isto é, "nossas identidades frágeis e concretas"[11]. A segunda coloca o direito a controlar o próprio corpo como parte do direito a autodefinir-se, mas destaca sua relação com os processos

---

[10] Ibidem, p. 100.

[11] Jean L. Cohen, *Regulating intimacy*, cit., p. 158.

formadores da identidade dos indivíduos, que envolve os significados que atribuímos aos nossos corpos[12].

Dessa perspectiva, o direito à privacidade pessoal não se confunde com o direito à privacidade de entidade. As garantias para a entidade familiar corresponderam historicamente ao isolamento da esfera doméstica em relação aos critérios de justiça – e aos direitos individuais, sobretudo das mulheres e das crianças. As restrições ou a eliminação dessas garantias foram determinantes para criminalizar a violência doméstica, assim como o estupro no casamento. Pensada como garantia individual, a privacidade seria também importante para garantir o respeito a uniões homoafetivas e à pluralidade dos arranjos afetivos e familiares.

Ainda que esses pontos sejam destacados em sua relevância nas abordagens liberais, a linguagem da escolha individual é vista, não apenas por juristas como Catharine MacKinnon, já mencionada, mas também pelas feministas negras, como insatisfatória. Ela estaria atada às experiências das mulheres brancas, ricas e de classe média, para as quais as alternativas de anticonceptivos e de acesso a aborto seguro se tornariam efetivas. Para as demais, "o aborto pode ser mais um indicativo de desigualdade social, limitações sociais e injustiça reprodutiva"[13]. Além disso, na experiência das mulheres que estão em condições de opressão por sua raça ou sua classe social, as políticas voltadas para o controle reprodutivo podem ter significado algo muito diferente da ideia de escolha e controle sobre o próprio corpo. Em suas vinculações históricas com o racismo e o controle populacional, as políticas de esterilização levadas a cabo em várias partes do mundo em meados do século XX são um caso representativo, em que as mulheres pobres foram, ao mesmo tempo, o alvo de esterilizações involuntárias e tiveram negado o acesso a esterilização voluntária, aborto seguro e anticonceptivos de maneira desproporcional em relação às mulheres brancas[14]. Quando predominou a visão neomalthusiana de prevenção à proliferação das camadas mais pobres da população, "o que

---

[12] Ibidem, p. 161.

[13] Jenny Higgins, "Sex, unintended pregnancy, and poverty: one woman's evolution from 'choice' to 'reproductive justice'", em Krista Jacob (org.), *Abortion under attack: women on the challenges facing choice* (Emeryville, Seal, 2006), p. 39.

[14] Johanna Schoen, *Choice and coercion: birth control, sterilization, and abortion in public health and welfare* (Chapel Hill, The University of North Carolina Press, 2005), p. 138.

era demandado como um 'direito' para as privilegiadas acabou sendo interpretado como um 'dever' para os mais pobres"[15].

Com todas as diferenças e as tensões nesse debate, cabe ressaltar que o movimento feminista produziu críticas hoje incontornáveis às formas convencionais de definição da dualidade entre o público e o privado, com a politização das relações de poder na esfera privada. Tematizou o corpo, a sexualidade e a capacidade reprodutiva como domínios e aspectos da vida nos quais as relações de poder incidem diretamente. É porque têm sido, historicamente, componentes fundamentais da opressão às mulheres que eles precisam ser reconstruídos de modo que correspondam ao exercício da sua liberdade. O direito ao aborto é um requisito para que isso de fato ocorra.

---

[15] Angela Y. Davis, *Women, race & class*, cit., p. 210.

9
O DEBATE SOBRE PORNOGRAFIA

Flávia Biroli

O debate sobre pornografia, amplo e polêmico, sobretudo nos Estados Unidos nas décadas de 1980 e 1990, vem sendo discutido predominantemente a partir da questão do controle à produção e à circulação de material pornográfico e das justificativas, ou exatamente da ausência de justificativas razoáveis, de uma perspectiva liberal, para que tal controle exista. O que está em questão em muitos debates é o efeito que teria nos consumidores de pornografia e, consequentemente, nos padrões correntes das relações de gênero. Discute-se, por exemplo, se existe vínculo direto entre consumo de pornografia e violência contra as mulheres ou, mesmo que de maneira indireta, entre a banalização da pornografia e a banalização do estupro. No debate teórico, o controle da pornografia vem sendo enquadrado como um problema de liberdade de expressão, enquanto é com frequência definido por feministas que atuaram na causa antipornografia como um problema de justiça, que remete à dominação.

No anteprojeto de lei favorável à restrição da produção e da circulação de pornografia que tramitou no Poder Legislativo das cidades estadunidenses de Minneapolis e Indianapolis em 1983, bastante influenciado pelas posições das feministas Catharine MacKinnon e Andrea Dworkin, a pornografia foi definida como "materiais gráficos sexualmente explícitos que subordinam as mulheres por meio de imagens ou palavras"[1]. O entendimento de que a pornografia promove subordinação é o que justificaria sua regulação. É por ser "um meio expressivo de praticar a desigualdade"[2], ferindo o igual direito dos indivíduos à dignidade, consideração e respeito, que a pornografia deveria ser banida ou controlada:

> Quando a igualdade é reconhecida como um valor e um mandato constitucional, a ideia de que algumas pessoas são inferiores a outras por seu pertencimento

---

[1]   Catharine A. MacKinnon, *Only words*, cit., p. 22.

[2]   Ibidem, p. 107.

a grupos é autoritativamente rejeitada como base para a política pública. Isso não significa que ideias contrárias não possam ser debatidas ou expressas. Mas deveria significar, no entanto, que a inferioridade social não pode ser imposta por qualquer meio, incluídos os expressivos.

Porque a sociedade é feita da linguagem, distinguir um discurso sobre a inferioridade da imposição verbal da inferioridade pode ser complicado em casos marginais, mas é suficientemente claro no que é central no assédio sexual e racial, na pornografia e na propaganda de ódio.[3]

Um aspecto importante nas críticas feministas à pornografia é que nela as mulheres seriam tratadas como objetos: (a) seriam humilhadas, agredidas e violentadas sexualmente quando tomam parte da produção de peças pornográficas; (b) seriam alvo efetivo ou potencial de humilhação, agressões e violência sexual porque a pornografia reforça um imaginário no qual a agressividade masculina e a subordinação das mulheres são naturalizadas; (c) teriam sua condição de alvo potencial de violência reproduzida, uma vez que haveria relação direta entre o consumo de pornografia pelos homens e a violência sexual destes contra mulheres[4]. De modo mais amplo, há um problema relativo à socialização que se conecta diretamente com as práticas de violência contra as mulheres, que é o entendimento de que a pornografia define a medida das práticas aceitáveis e das expectativas "normais" relativas aos comportamentos de mulheres e homens.

PORNOGRAFIA E LIBERDADE DE EXPRESSÃO

Ronald Dworkin apresenta argumentos representativos da posição liberal que analisa as restrições à pornografia tendo em vista o valor da liberdade de expressão[5]. Ele é contra a censura, mas, em seu estilo característico, testa a razoabilidade de justificativas para restringir a exibição pública de pornografia.

---

[3] Ibidem, p. 106.

[4] No anteprojeto de lei de 1983, já referido, consta a observação de que os casos de objetificação, humilhação, agressão e violência considerados nominalmente como dirigidos a mulheres são válidos também quando as vítimas são homens, crianças ou transexuais (ibidem, p. 121-2).

[5] Ronald Dworkin, *Uma questão de princípio* (São Paulo, Martins Fontes, 2005). A edição original é de 1985. O debate entre ele e MacKinnon está em Drucilla Cornell (org.), *Feminism and pornography* (Oxford, Oxford University Press, 2000).

O igual direito à independência moral colocaria limites a proibições fundadas nas preferências de alguns (ainda que sejam majoritárias em sua quantidade e intensidade) e a proibições fundadas na ofensa sofrida por alguns ante as preferências de outros[6]. Nessa compreensão, o recurso à censura, que levaria à restrição da liberdade de alguns em nome da satisfação de outros, romperia com o valor da igualdade – e isso se mantém mesmo que a proibição leve a maior soma de satisfação e bem-estar por corresponder às preferências da maioria.

O paralelo entre o controle da homossexualidade e a censura à pornografia é relevante nessa argumentação. O direito à igualdade moral não permite que concepções (em geral de caráter moral, mas isso não é crucial) sustentadas pela maioria, fundadas no sentimento profundo de ofensa e indignação de alguns pelo que consideram ser os baixos valores e os modos de vida de outros, sejam mobilizadas para tratar esses outros, por suas preferências e seus modos de vida, como indivíduos de menor valor. Não é aceitável que uma minoria sofra "porque outros julgam repulsiva a vida que ela se propõe viver"[7].

Ronald Dworkin discute a censura ou a restrição à pornografia sem considerar esta última um conjunto de práticas que envolve questões de gênero ou, ao menos, que diz respeito de maneiras diferenciadas a mulheres e homens. Mesmo quando leva em conta a tese de que há continuidade entre pornografia e violência sexual, não há qualquer referência a mulheres nem à violência contra mulheres. São considerados até mesmo os constrangimentos que as restrições na venda de pornografia para consumo privado poderiam causar a um "pornógrafo tímido"[8], mas não os constrangimentos que a pornografia geraria para mulheres especificamente. O vínculo entre pornografia e socialização, que poderia produzir a naturalização da subordinação, ou

---

[6] A base para essa compreensão da liberdade e da tolerância é John Stuart Mill, *On liberty* (Sioux Falls, New Vision, 2008). A edição original é de 1859.

[7] Ronald Dworkin, *Uma questão de princípio*, cit., p. 547.

[8] Ibidem, p. 533.

> da tolerância social a relações de comando e subordinação, não é tematizado ou é descartado em sua relevância[9].

O deslocamento da análise da pornografia como obscenidade – e, portanto, da análise segundo critérios morais – para a reflexão sobre a pornografia como forma de subordinação teve grande impacto no debate feminista. Nesse sentido, MacKinnon é largamente incorporada, ainda que a adesão a suas teses seja restrita. O debate feminista é, a despeito disso, rico em críticas à censura, à regulação e ao que é uma visto como aposta em uma "positividade mítica da lei"[10]. Porém, diferentemente do que ocorre no debate liberal sobre justiça, aqui o gênero é um problema e uma variável fundamental. Trata-se de levar em consideração mulheres e homens, com experiências distintas não apenas pela dualidade masculino-feminino, mas porque se definem em identidades de gênero complexas e variáveis, constituídas também pela sexualidade, pela classe social, pela raça.

A divisão entre as feministas antipornografia e as que são contrárias a sua proibição estaria sobretudo no fato de que as primeiras apostam na ação do Estado para reduzir ou eliminar a dominação sexual masculina, mas isso significaria deixar de levar em conta o que as mulheres envolvidas dizem sobre sua liberdade. O Estado deveria, assim, "salvar as mulheres da perpetuação da sua falsa consciência", salvá-las delas mesmas[11].

Essa posição é normativamente orientada por duas concepções fundamentais: o direito à personalidade e à autorrepresentação. A alienação desses dois direitos corresponderia à desconsideração da pessoa – que tipo e grau de liberdade seriam, afinal, necessários para se reconhecer a "habilidade [dos indivíduos] para desenhar a própria vida"[12]?

O debate deságua, nesse ponto, no problema da definição das fronteiras entre individuação e objetificação. Se alguém permite a violação de sua integridade corporal, esse alguém tem um *self* para representar ou, contrariamente, deixou de ser sujeito de sua própria vida e, portanto, "não pode representar a si mesmo

---

[9] Catharine A. MacKinnon e Ronald Dworkin, "Pornography: an exchange", em Drucilla Cornell (org.), *Feminism and pornography*, cit., p. 121-5.

[10] Drucilla Cornell, "Introduction", em idem (org.), *Feminism and pornography*, cit., p. 4.

[11] Idem, *At the heart of freedom*, cit., p. 46.

[12] Ibidem, p. 45.

porque se reduziu a um objeto"[13]? Há algo *próprio* a ser representado quando as mulheres são reduzidas a objetos pela dominação e pela violência ou são reduzidas a seu sexo? O "moralismo imposto pelo Estado" poderia ser um obstáculo à conquista de um "espaço psíquico, político e ético para que as mulheres representem a si mesmas"[14]. O foco deveria ser, diferentemente, a garantia da autonomia decisória das mulheres, simultânea à garantia da inviolabilidade da sua personalidade e de sua integridade corporal, independentemente de quem sejam essas mulheres e de quais as relações em que estejam envolvidas[15].

Uma das críticas principais às feministas antipornografia é precisamente a de que as demandas por regulação se apoiariam na vitimização das mulheres, promovendo a "mulher que pede proteção" ao centro do debate político e jurídico[16]. O outro lado da equação, segundo essa crítica, é que todos os homens se tornariam culpados. Posições favoráveis ao controle da pornografia, como a de Catharine MacKinnon, produziriam em seus argumentos um amálgama, equivocado, entre violência física e violência moral ou psicológica, entre violência sexual e violência social[17]. Além disso, haveria o risco de se voltar aos essencialismos e aos estereótipos envolvidos na dualidade entre a agressividade masculina e a docilidade feminina, entre a busca masculina do gozo e a busca feminina do amor. Uma de suas faces seria justamente a distinção entre sexo lícito e sexo ilícito, em que o primeiro estaria relacionado ao amor e à ternura, e o segundo, à dominação e à posse.

O problema que permanece, no entanto, é em que medida a pornografia promoveria uma representação da mulher que a reduz a seu sexo e, como tal, a objeto para o usufruto masculino. Se ampliarmos essa percepção a discursos e representações difusos no universo simbólico contemporâneo, passamos da pornografia à publicidade corrente, do mercado do sexo ao da moda, em registros e formas distintos da construção das identidades de gênero que podem ser vistos, no entanto, como conectados pelo apelo à fusão entre feminino, corpo e sexo e pela apresentação das mulheres como mercadorias.

---

[13] Ibidem, p. 53.

[14] Ibidem, p. 58.

[15] Jean L. Cohen, *Rethinking privacy*, cit., p. 162.

[16] Elisabeth Badinter, *Rumo equivocado*, cit., p. 17.

[17] Ibidem, p. 30.

Se essa fusão pode favorecer um ambiente que potencializa a violência contra as mulheres, não se deve esquecer que esse tipo de diagnóstico pode ser mobilizado, política e judicialmente, para restringir a autonomia das mulheres, controlar seu corpo e sua sexualidade. Não é casual que os argumentos antipornografia de MacKinnon tenham sido apoiados pela direita religiosa nos Estados Unidos, levando a uma situação inusitada em que compuseram um mesmo pacote o controle da pornografia e as restrições no direito ao aborto, a crítica à redução da mulher à sua sexualidade e a condenação do sexo "ilícito" e da homossexualidade.

Por outro lado, as abordagens favoráveis ao controle da pornografia poderiam produzir uma espécie de esvaziamento da subjetividade feminina:

> Se o gênero é a sexualidade do modo como aparece na pornografia masculina heterossexual, então não é apenas a sexualidade feminina, mas a totalidade da consciência feminina, que consiste tão somente naquilo que os homens (agora também unificados como sujeitos de consumo) requerem que seja.[18]

A abordagem de MacKinnon e a pornografia que analisa se encontrariam na afirmação de que as relações de gênero correspondem às dualidades sujeito-objeto e dominante-subordinado e que as identidades sociais masculina e feminina são determinadas pela sexualidade, ignorando ao mesmo tempo a complexidade na definição dessas identidades e o peso de outros vetores, como raça e classe social[19]. A visão de que as mulheres são amplamente coagidas tornaria difícil identificar e combater as situações nas quais são, de fato, vítimas de abusos e agressões[20]. Para defini-las, é preciso pressupor que são desvios, isto é, que há situações nas quais escolheram voluntariamente tomar parte da produção pornográfica, ou trabalhar como prostitutas, e que consentiram com essa posição.

A celebração da liberdade sexual, no entanto, incorporando a própria dimensão da pornografia, pode ser uma forma de ocultar o fato de que práticas, valores e normas tornaram a posição social de mulheres e homens distante do patriarcado em seu sentido mais convencional – que envolvia um tipo de

---

[18] Wendy Brown, "The mirror of pornography", em Drucilla Cornell (org.), *Feminism and pornography*, cit., p. 209.

[19] Ibidem, p. 208-9.

[20] Drucilla Cornell, *At the heart of freedom*, cit.

controle sobre a sexualidade feminina –, mas não significaram uma ruptura com a condição relativa de subordinação das mulheres. A similaridade entre a pornografia *hardcore* (aqui considerada, com MacKinnon, aquela que envolve violência, na qual o prazer decorre de infligir dor) e *softcore* (aqui considerada, novamente com MacKinnon, aquela que, de modo geral, se funda em representações do sexo consentido e exclui a violência) estaria no fato de que, enquanto o homem, incluído o leitor/expectador, é definido como sujeito autônomo, a mulher é representada como objeto disponível para consumo. Quando uma publicação como *Playboy* se identifica como favorável à liberação sexual, ela deixa de expor algo que é fundamental: a comercialização do sexo e a desumanização das mulheres andam juntas, "o sexo é uma mercadoria, e as mulheres se tornam algo como carros, ou roupas, isto é, posses caras que demarcam o *status* de alguém no mundo dos homens"[21]. Um dos aspectos mais persistentes da dominação masculina é a representação das mulheres como objetos sexuais. A oposição à objetificação sexual delas está no cerne da política feminista[22], e deixar esse problema de lado pode ter um alto custo para a reflexão e a prática feministas.

Em algumas de suas manifestações, o chamado feminismo "pró-sexo" mobiliza a visão de que a pornografia não se resume às produções sexistas heterossexuais *mainstream*, nas quais predominaria uma perspectiva masculina convencional, mas vem sendo modificada por produções alternativas nas quais as relações entre gênero, sexo e desejo sexual são redefinidas[23]. Parece, no entanto, ser necessário cuidado tanto com o entusiasmo com a pornografia considerada alternativa quanto com a naturalização das formas "domesticadas" do exercício da liberdade. As hierarquias sexuais podem estar, de fato, "na raiz das deformações do desejo", mas as experiências são deformadas – ou conformadas – tanto pela objetificação, presente em muitos sentidos em diferentes produções pornográficas, quanto pela repressão e pelo puritanismo[24].

---

[21] Martha C. Nussbaum, *Sex and social justice*, cit., p. 234.

[22] Ibidem, p. 213.

[23] Cf. Drucilla Cornell (org.), *Feminism and pornography*, cit., parte 5; Pamela Church Gibson (org.), *More dirty looks: gender, pornography and power* (Londres, British Film Institute, 2004); Carolina Parreiras, "Altporn, corpos, categorias e cliques", *Cadernos Pagu*, n. 38, 2012.

[24] O que é, em linhas gerais, a orientação de Martha Nussbaum, *Sex and social justice*, cit., p. 239.

Representações das relações de gênero nas quais a mulher é humilhada e objetificada, isto é, tratada como menos que humana porque é definida como instrumento para a satisfação dos desejos de outros, podem contribuir, ainda que de maneira difusa, para a violência contra as mulheres e para a aceitação dessa violência. Podem contribuir, também, para mantê-las em posições de maior vulnerabilidade, simbólica e material. Sua definição como objetos sexuais exclui potencialmente outras definições e a consideração de outras capacidades. A reprodução de representações hierarquizadas do masculino e do feminino não se esgota, socialmente, em suas expressões eróticas e sexualizadas, mas ganha forma de constrangimentos, desrespeito e discriminação que podem ser sutis e mesmo invisíveis, mas têm impacto nas oportunidades e nas escolhas possíveis para as mulheres, assim como em sua integridade física e psíquica. Por outro lado, repressão, puritanismo e silenciamento das vivências das mulheres definiram, historicamente, muitas das formas de exercício do domínio masculino. Trata-se, mais uma vez, de buscar arranjos que permitam avançar, simultaneamente, na defesa da igualdade de gênero e da autonomia das mulheres.

10
O DEBATE SOBRE PROSTITUIÇÃO

Luis Felipe Miguel

A comercialização de serviços sexuais é uma prática presente no mundo todo, mas proibida por lei – e tolerada pela sociedade – na maior parte dele. Não há relação unívoca entre a maior ou menor severidade da repressão à prostituição e o caráter menos ou mais progressista de determinada ordem política. A prática é legalizada na Holanda, mas também no conservador estado de Nevada, nos Estados Unidos, enquanto nas liberais Suécia e Noruega a compra de sexo é punida por lei. Vozes de ativistas feministas se fazem ouvir, com destaque, em defesa dos dois lados da controvérsia.

O debate sobre a prostituição se estabelece sobre a premissa de que, ainda que exista prostituição masculina e de transgêneros, a situação típica é a de uma mulher que vende seu corpo a um homem. Ou seja, a posição de prostituta é uma posição feminina, revestida socialmente dos significados a ela associados, mesmo que eventualmente seu praticante possua sexo biológico e/ou gênero diverso[1]. Assim, o debate vai incidir sobre como a prostituição pode contribuir para reforçar (ou espelhar) a dominação masculina e sobre os efeitos de diferentes políticas sobre a autonomia das mulheres.

De um ponto de vista liberal, afastados a exploração de crianças e o tráfico de pessoas, é difícil justificar a proibição da prostituição. Afinal, ela estabeleceria um contrato entre adultos que, dadas as circunstâncias, julgam que é vantajoso o envolvimento naquela troca. A repressão à prostituição sinalizaria a tentativa de imposição de uma determinada moral sexual ou, então, uma percepção paternalista, que entende que a opção da prostituta e/ou do cliente não é correta e que é necessário impedi-los de fazer mal a si mesmos[2]. Em geral,

---

[1] Carole Pateman, *The sexual contract*, cit., p. 102.

[2] A proteção aos clientes (e suas famílias) sempre foi a meta prioritária de boa parte da legislação sobre a prostituição. No Reino Unido, os *Contagious Diseases Acts*, voltados ao controle das doenças venéreas, estabeleciam exames compulsórios, hospitalização forçada e prisão para as prostitutas

o liberalismo contemporâneo rejeita políticas paternalistas, por acreditar que elas violam a presunção de autonomia moral dos indivíduos. Ao afirmar que a pessoa que se prostitui, ainda que por livre escolha, compromete seu senso de dignidade, sofre danos psicológicos e perde oportunidades sociais, educacionais e de trabalho, sendo necessário protegê-la (com a proibição) desses efeitos negativos, um autor como Peter de Marneffe se coloca na contramão do pensamento liberal dominante[3].

Mais do que nos malefícios diretos à prostituta, o debate feminista contemporâneo prefere focar os limites da "livre escolha" e as consequências sociais mais amplas do comércio do sexo. Entre as autoras que advogam a legalização da prostituição, algumas buscam equivalê-la a qualquer outro tipo de trabalho remunerado: os limites à livre escolha que levam uma mulher à prostituição não são diferentes daqueles que levam outra a ser operária de fábrica ou empregada doméstica. Muitas, porém, passam ao largo dessa discussão e focam o impacto que a legalização da atividade teria para as profissionais do sexo, que ficariam menos vulneráveis à violência dos clientes e ao arbítrio policial.

> ### CONTEXTO E CONSEQUÊNCIA
>
> Boa parte da filosofia política contemporânea opera com abstrações, construindo modelos ou narrativas em que os agentes são afastados por inteiro de suas condições de vida – o "véu da ignorância" de John Rawls é o caso mais conhecido[4]. Como teoria *crítica*, voltada à compreensão transformadora das sociedades históricas, o feminismo não tem como adotar esse procedimento. Assim, o contexto social é parte importante de qualquer reflexão feminista.
>
> Um exemplo é aquilo que hoje é chamado de "relações poliafetivas". Sob uma perspectiva abstrata, não há motivo para recusar legitimidade a qualquer arranjo erótico ou amoroso entre pessoas

que resistissem. Sob a liderança da figura ímpar de Josephine Butler, a campanha contra essa legislação reuniu argumentos feministas, cristãos e de direitos civis, obtendo sua anulação em 1886. Cf. Philippa Levine, *Prostitution, race and politics: policing venereal disease in the British Empire* (Nova York, Routledge, 2003).

[3] Peter de Marneffe, *Liberalism and prostitution* (Oxford, Oxford University Press, 2009).

[4] John Rawls, *A theory of justice*, cit.

adultas. Mas a poligamia está historicamente associada à submissão das mulheres, e sua legalização contribuiria para prejudicá-las ainda mais dentro das relações, já assimétricas, do casamento. Um raciocínio similar vale para as situações em que a escolha dos agentes sociais é comprometida por sérias desigualdades no acesso aos recursos. A simples afirmação de que a prostituição é uma opção entre outras para mulheres que necessitam de renda implica não levar em conta os fenômenos da exploração sexual, da objetificação da mulher e de sua posição inferior no mercado de trabalho.

O outro lado da moeda, também vinculado ao compromisso crítico do feminismo, é a atenção para os efeitos reais da adoção de determinadas políticas. A mera condenação da prostituição não melhora a situação das mulheres que exercem a profissão. Nesse sentido, as consequências da legalização da atividade, ampliando a autoestima das prostitutas e fornecendo-lhes proteção contra diferentes formas de abuso, poderiam ser positivas – ou não. O debate assume, assim, um caráter "consequencialista", em que uma parte importante dos argumentos diz respeito aos resultados esperados das ações.

Algumas das feministas favoráveis à descriminalização da prostituição têm posição próxima ao "libertarianismo" ultraliberal, corrente da direita política que advoga um mínimo de Estado com um máximo de mercado. "Descriminalização", no caso, não é "legalização", uma vez que não se admite qualquer tipo de regulamentação. Essa é a posição, por exemplo, do grupo estadunidense Coyote – acrônimo para *"call off your old tired ethics"* (revogue sua velha e cansada ética) –, formado por prostitutas e ex-prostitutas, que propõe o livre exercício da atividade tanto pelas profissionais quanto por seus cafetões[5]. Porém o libertarianismo está bem distante do universo de valores que é, em

---

[5]   Cf. Norma Jean Almodovar, "Porn stars, radical feminists, cops, and outlaw whores: the battle between feminist theory and reality, free speech, and free spirits", em Jessica Spector (org.), *Prostitution and pornography: philosophical debate about the sex industry* (Stanford, Stanford University Press, 2006).

geral, associado ao feminismo, em especial por sua adesão acrítica às noções de "escolha" ou de "agência" individual[6].

Uma leitura mais ponderada se encontra em Martha Nussbaum, para quem a questão não é impedir a legalização da prostituição, mas ampliar o leque de opções à disposição das mulheres[7]. Comparando a atividade das trabalhadoras do sexo com outros tipos de profissionais, da operária e da massagista até uma fictícia "artista da colonoscopia", que recebe para ter seu cólon examinado por instrumentos médicos de última geração[8], ela argumenta que não há nada que singularize a prostituição diante dessas outras ocupações. Portanto, sua proibição é fruto apenas de preconceitos, que têm como efeito líquido a estigmatização das mulheres que a exercem.

Esse tipo de reflexão não leva em conta o caráter especial que a quase totalidade das culturas humanas confere à intimidade sexual. Para o filósofo André Gorz, a prostituição é um exemplo pioneiro da tendência contemporânea de tudo transformar em mercadoria e substituir relações humanas gratuitas e espontâneas por outras em que há a intermediação da moeda. A sua inclusão como uma ocupação como qualquer outra ignora elementos que diferenciam as atividades profissionais segundo seu potencial emancipatório. Ao contrário da operária, mas também da garçonete ou da professora, a prostituta não exerce seu ofício no espaço público. E, ao mesmo tempo, a sua é uma atividade do tipo "servil", em que não existem parâmetros de sucesso independentes da satisfação do cliente, o que a distinguiria de uma médica, de uma massagista – ou mesmo de uma artista da colonoscopia[9].

Também há uma sobrevalorização das possibilidades de escolha das mulheres que se prostituem. Feministas favoráveis ao combate ao comércio do sexo enfatizam sua íntima vinculação com o tráfico de mulheres e outras formas abertas de coerção, sem falar na coerção estrutural imposta pela ausência de alternativas e pela necessidade econômica: "observa-se que as mulheres na prostituição são prostituídas por meio de escolhas impedidas, opções restringidas,

---

6   Cf. Sheila Jeffreys, "Beyond 'agency' and 'choice' in theorizing prostitution", em Maddy Coy (org.), *Prostitution, harm and gender inequality: theory, research and policy* (Farnham, Ashgate, 2012).

7   Martha C. Nussbaum, *Sex and social justice*, cit., p. 278.

8   Ibidem, p. 285.

9   André Gorz, *Métamorphoses du travail*, cit.

possibilidades negadas"[10]. De fato, a figura da "garota de programa" de classe média, que opta pelo comércio do sexo, baseando-se em um cálculo econômico racional tão presente nos produtos da indústria cultural, parece corresponder a uma parcela irrisória das prostitutas reais.

O risco desse tipo de abordagem é desembocar numa vitimização absoluta que nega que, sob qualquer circunstância, alguma mulher possa optar pela prostituição. As organizações das trabalhadoras do sexo, que em geral lutam pela regulamentação da prostituição, são desprezadas como instrumentos da dominação masculina ou vítimas da falsa consciência. Se as prostitutas são "prisioneiras políticas" da ordem patriarcal, como disse Kate Millett, não é preciso ouvi-las nem levar a sério suas experiências – é preciso apenas salvá-las[11].

A alternativa preferida por MacKinnon e outras feministas para a repressão à prostituição é a criminalização da compra de serviços sexuais, não da venda. Com isso, os clientes são os primeiros penalizados e as prostitutas ficariam mais ao abrigo da truculência policial. Há aqui também um reflexo da compreensão de que a prostituição desvela a essência das relações heterossexuais nas sociedades sexistas, que seria, para essas autoras, a erotização da dominação masculina[12]. O que o cliente compra é a submissão da prostituta. De fato, os argumentos das defensoras da legalização da prostituição, nesse ponto, oscilam entre a ingenuidade e o cinismo, como mostra esta lista de "razões não sexistas" de clientes de prostitutas:

> Às vezes, eles não têm uma pessoa apropriada em suas vidas para lhes fornecer alívio e às vezes a profissional é capaz de fornecer serviços sexuais de uma maneira que é superior ao provido pelas não profissionais. Em termos gerais, essas são as mesmas razões pelas quais as pessoas contratam psicólogos, massagistas, cabeleireiros e assim por diante.[13]

A condenação feminista mais influente à prostituição foi elaborada por Carole Pateman, que parte de uma crítica mais ampla à categoria liberal do

---

[10] Catharine A. MacKinnon, "Trafficking, prostitution, and inequality", *Harvard Civil Rights-Civil Liberties Law Review*, v. 46, n. 2, 2011, p. 274.

[11] Kate Millett, *The prostitution papers: a quartet for female voice* (Nova York, Ballantine, 1976), p. 111.

[12] Catharine A. MacKinnon, *Toward a feminist theory of the State*, cit., p. 113.

[13] Leonere Kuo, *Prostitution policy: revolutionizing practice through a gendered perspective* (Nova York, New York University Press, 2005), p. 117-8.

contrato. Ao aceitar qualquer relação estabelecida por contrato como sendo livremente escolhida, o liberalismo ignora tanto os diferentes constrangimentos que empurram pessoas a esses contratos por falta de alternativas quanto as consequências de contratos que tomam a forma da institucionalização da subordinação, como é o caso dos contratos de trabalho e de casamento. A prostituição seria uma exacerbação dessa subordinação, permitindo ao cliente um acesso unilateral e ilimitado ao corpo da prostituta, tendo sua satisfação como único critério de desempenho e, em particular, sem que ele ofereça a proteção que, nos contratos de trabalho e casamento, é a contrapartida dada à obediência[14].

Em polêmica com Pateman, Nancy Fraser apresenta uma visão mais nuançada do contrato de prostituição, que não se explica como uma relação senhor/súdita (o que não significa que não incorpore a dominação masculina). As prostitutas teriam, via de regra, condições de impor limites e negociar os termos de sua performance para o cliente. O que se vende é "uma fantasia masculina do 'direito sexual masculino', que implica a sua precariedade no mundo real. Mais do que adquirir comando sobre a prostituta, o que o cliente recebe é uma encenação desse comando"[15]. A posição de Fraser nem por isso nega o papel desempenhado pela prostituição na economia simbólica da dominação masculina.

Mas boa parte do debate versa sobre as consequências da legalização. Estão desacreditadas as velhas justificativas vitorianas a favor da prostituição – necessária para dar vazão às necessidades de homens que, de outra forma, recorreriam à violência ou à sedução de mulheres "honradas". Em defesa de sua descriminalização, militam argumentos fortes, relacionados à necessidade de proteger as prostitutas de formas de agressão de clientes, cafetões e policiais, de reduzir a estigmatização que as atinge e de garantir a elas a possibilidade de acesso a uma vida mais digna.

Por outro lado, a prostituição contribui para manter a ideia de que o acesso ao corpo das mulheres é um direito dos homens, fomentando a objetificação e a violência. Conforme observou Susan Brownmiller,

> a perpetuação do conceito de que o "poderoso impulso macho" deve ser satisfeito com urgência por uma classe cooperativa de mulheres, colocadas à parte e expres-

---

[14] Carole Pateman, *The sexual contract*, cit., p. 208-9. Cf. também: idem, *The problem of political obligation: a critique of liberal theory* (Berkeley, University of California Press, 1985). A edição original é de 1979.

[15] Nancy Fraser, *Justice interruptus*, cit., p. 233.

samente licenciadas para esse fim, é parte integrante da psicologia de massa de estupro.[16]

Além disso, é difícil isolar as manifestações "legítimas" de prostituição do proxenetismo, do tráfico de mulheres, da exploração de crianças e adolescentes e do turismo sexual. São fenômenos que associam o comércio do sexo a formas de abuso que, por sua vez, incidem majoritariamente sobre as mulheres mais pobres e não brancas. Sua exploração pode ser vista como uma "forma de racismo altamente sexualizada"[17].

Assim, o debate sobre a prostituição no feminismo revela as complexidades da busca por uma posição que equilibre tanto o respeito às escolhas dos indivíduos quanto a compreensão aguda dos constrangimentos que as cerceiam. Sem as simplificações que tanto o liberalismo radical quanto o moralismo convencional apresentam, esse debate nos ajuda a avançar na discussão sobre as relações entre consciência, autonomia e estruturas sociais.

---

[16] Susan Brownmiller, *Against our will*, cit., p. 392.

[17] Sigma Huda, *Report of the special rapporteur on the human rights aspects of the victims of trafficking in persons, especially women and children* (Nova York, UN Commission on Human Rights, 2006), p. 13, disponível em: <http://www.refworld.org/docid/48abd53dd.html>; acessado em: 29 jun. 2013.

CONCLUSÃO
A POLÍTICA DO FEMINISMO

Luis Felipe Miguel e Flávia Biroli

O feminismo confronta as desigualdades, mas o faz de maneiras diversas, como demonstramos ao expor os debates que envolvem sua crítica às instituições vigentes. No debate teórico e na militância, as prioridades e as posições variam porque há entendimentos distintos do que são as desigualdades, onde residem suas raízes e o que significa superá-las. Os debates tratam, em particular, da definição de quais transformações estão sendo buscadas. Uma sociedade em que mulheres e homens tenham chances equivalentes de alcançar as posições de maior poder, prestígio e vantagem material realiza o programa feminista? Do mesmo modo, mudanças nos valores sociais mais difusos, no entendimento dos papéis e das competências associadas ao gênero, sem a reorganização radical das instituições e do acesso à participação política, podem ser um ponto de chegada suficiente para o feminismo? Ou seu programa é mais ambicioso e exige que se mudem as maneiras de distribuir poder, de estabelecer hierarquias de prestígio e de repartir a riqueza?

É possível dizer que, para a maior parte do feminismo que emergiu nos anos 1960 e 1970, a última opção era a correta. Acreditava-se que a plataforma feminista colocava em xeque múltiplas formas vigentes de exploração, opressão e dominação e que a igualdade de gênero só se estabeleceria em uma sociedade radicalmente distinta. A partir dos anos 1980, porém, ganhou grande visibilidade um discurso feminista em que as estruturas sociais são menos questionadas. É reconhecida como necessária a melhor divisão do trabalho doméstico, mas a privatização do cuidado não é posta em questão. Luta-se por mais mulheres chefiando empresas, sem que o capitalismo seja desafiado. Ter mais mulheres na política é uma prioridade, mas os limites da democracia representativa deixam de ser um problema.

Essa *démarche* não ocorre sem oposição dentro do próprio feminismo. Afinal, as mudanças nas vidas de algumas mulheres, como o acesso das brancas e de classe média a posições profissionais bem remuneradas, podem ter impacto nulo sobre as estruturas que mantêm as condições de desvantagem e opressão da maioria. Expõem uma perspectiva de classe restrita e cultivam a ilusão de que a superação das desvantagens de algumas teria necessariamente efeitos positivos sobre outras. Podem também contribuir para a ideia de que essa superação estaria à mão das mulheres, como se dependesse de esforço pessoal, ocultando o fato de que os limites estruturais têm impactos distintos, dependendo de classe social, cor ou sexualidade. O fato é que o sucesso profissional de algumas mulheres não impede que a maioria continue em condições nas quais a pobreza, a vulnerabilidade à violência e a dupla jornada de trabalho, demarcada por recursos e oportunidades escassos, são a realidade[1].

Para uma organização não governamental como a Catalyst, voltada a "expandir oportunidades para mulheres" no mundo dos negócios[2], o avanço do feminismo se mede pela porcentagem de grandes corporações presididas por pessoas do sexo feminino, de acordo com o levantamento que faz anualmente. Mas cabe perguntar se a disponibilidade de creches para as mães trabalhadoras não seria, para uma quantidade majoritária de mulheres, um indicador muito mais poderoso. Da mesma maneira, ainda está por demonstrar que ter mais deputadas no parlamento garante, por si só, maior atenção às necessidades e aos interesses de mulheres pobres e sem capital político. A existência de mecanismos de tomada de decisão política mais participativos e mais próximos da vida cotidiana provavelmente influiria bem mais na possibilidade de que elas fossem ouvidas do que a presença de muitas parlamentares eleitas, quase todas oriundas de posições de elite. Fica claro que as prioridades dependem das diferentes posições sociais e que, se o feminismo não abraça um projeto amplo de transformação social, ele tende a reproduzir em seu seio esses enfrentamentos.

A confrontação radical das desigualdades de gênero, de uma forma que considere *igualmente* as diferentes posições das mulheres, parece implicar a confrontação de outras formas de desigualdade, como as de raça e de classe. Requer, portanto, a reconceitualização da democracia com base nas diferenças de gênero[3], mas também o compromisso com o enfrentamento das causas estruturais das diversas desigualdades. Não é preciso diluir as especificidades das formas de opressão existentes em dada sociedade, mas reconhecer que o

---

[1]   Bell Hooks, *Feminist theory*, cit., p. 61.

[2]   Conforme consta em seu site: <www.catalyst.org>; acessado em: 16 set. 2014.

[3]   Anne Phillips, *Engendering democracy* (Cambridge, Polity, 1991).

foco no indivíduo ou nos ganhos restritos de um grupo (como as mulheres brancas, de classe média e profissionalizadas) pode ofuscar as causas estruturais das desvantagens de muitos indivíduos e grupos em posição subalterna.

A redução do feminismo a "um estilo de vida", a "uma identidade pré-fabrica-da"[4], à disposição para a afirmação de modos de existência alternativos, também colabora para acomodar as bandeiras do feminismo ao *status quo*. Com isso, ele perde justamente seu potencial político de enfrentamento da opressão e da dominação. O que está em questão nem é a insuficiência de estilos de vida alternativos vivenciados como projetos individuais, mas o fato de que esse entendimento restringe o âmbito das transformações desejadas e esvazia o sentido político, de transformação coletiva, do feminismo. Como se o "sou feminista" significasse um ponto de chegada, o encontro de uma identidade que caracteriza sua portadora e dá a ela um lugar, uma "tribo", um elemento de distinção – e não um ponto de partida, de engajamento na busca de uma mudança social profunda. Como se ser feminista fosse como ser vegetariano, uma opção que é, em primeiro lugar, privada e que raras vezes exige algo além de embates pontuais e localizados com o mundo à sua volta. Se não há, nessa opção "pessoal", uma aceitação aberta das desigualdades materiais e das oportunidades de vida diferenciadas por fatores como classe ou raça, ela no mínimo afasta a ideia de que as relações sociais podem ser reorganizadas amplamente de maneira radical.

Assim, a política do feminismo se vê dividida entre caminhos de maior enfrentamento ou maior acomodação com a ordem social vigente – e de maior ou menor sensibilidade à multiplicidade de formas de opressão vividas pelas mulheres, de acordo com a posição social que ocupam. São as mesmas divisões que, como vimos ao longo deste livro, estão presentes na teoria política feminista.

O foco nas desigualdades de gênero pode levar a uma reconfiguração da democracia, exigindo que ela corresponda mais efetivamente à promoção da igualdade entre os indivíduos e das condições para o exercício da autonomia por cada um (e cada uma). A não ser que esse "cada um" seja retórico e incida nas abstrações criticadas por tantas das abordagens aqui discutidas, será preciso, sem abandonar as especificidades das desigualdades de gênero, enfrentar as assimetrias de recursos e de poder baseadas em outras clivagens.

---

4   Bell Hooks, *Feminist theory*, cit., p. 28.

O acúmulo das vantagens que ampliam a autonomia e o bem-estar de algumas pessoas, mas no mesmo movimento reduzem a autonomia e o bem-estar de outras, remete a processos socioestruturais, numa dinâmica em que as possibilidades vão sendo bloqueadas sem que, necessariamente, exista coerção ou se identifiquem barreiras explícitas, vetos ou ações voluntárias de indivíduos determinados. É o caso, por exemplo, do impacto injusto e diferenciado do mercado sobre os indivíduos – e sobre mulheres em diferentes posições sociais. A divisão sexual do trabalho, que tem relação direta com as desvantagens sociais das mulheres, é em muitos sentidos alimentada por dinâmicas de mercado que atingem de maneira distinta as mulheres de classe média e as mulheres pobres. Do mesmo modo, toda a questão do cuidado com as crianças, com os enfermos e com os idosos tem sentidos completamente distintos, dependendo da classe social das mulheres, e acompanha pacotes de opções bem diversas.

Em outras palavras e invertendo a direção, o enfrentamento das desvantagens cumulativas de alguns indivíduos e grupos nas sociedades capitalistas requer a consideração atenta aos padrões das desigualdades de gênero, mas também um projeto emancipador que não se limite à "inclusão" das mulheres. Se pensada apenas como oportunidade igual de acesso a direitos e espaços *tais como já definidos*, essa inclusão pode colaborar para produzir novas separações e para reproduzir, silenciosamente, as formas de marginalização existentes. Ela pode ser promovida de maneira a preservar as instituições básicas da sociedade[5].

A valorização das diferenças, que é um ponto fundamental nos desafios colocados pelas teorias e pela militância feminista, corresponde à exigência de normas que garantam o respeito e mesmo espaços e recursos para a afirmação das identidades dos indivíduos. Os exemplos mais característicos talvez sejam a garantia de privacidade para a afirmação das identidades sexuais e de que os indivíduos não sejam penalizados por normas que naturalizam modos convencionais de composição dos laços afetivos e familiares. Essas posições, no entanto, politizam âmbitos que reconhecemos como pessoais para exigir a reorganização das normas, instituições e práticas sociais. De modo semelhante, há uma diferença entre a reorganização privada dos papéis de gênero na gestão da vida doméstica – a libertação de algumas mulheres do fardo que a responsabilidade exclusiva pela vida doméstica representa – e o esforço para colocar no

---

[5]   Drucilla Cornell, *At the heart of freedom*, cit.

topo da agenda política, ao menos da agenda dos movimentos, temas como a oferta de creches e a reorganização dos limites entre a gestão privada da vida doméstica e o mundo do trabalho.

O outro lado dessa equação é a rendição aos limites da política nas malhas do Estado. A privatização é uma forma de diluição, mas a captura da agenda dos movimentos feministas pela política partidária ou pelas burocracias que formulam as políticas públicas restringe o potencial emancipador do feminismo, que fica contido nos limites dos arranjos políticos – ou mesmo eleitorais – possíveis em dado momento. A crítica e o engajamento requerem, é claro, estratégias para fazer avançar a agenda feminista. Mas um dos pontos fundamentais é transformar essa agenda em prioridade, em vez de relegá-la a uma meta secundária, em cálculos nos quais a eficácia política significa na prática aceitar que ela fique em segundo plano.

Não é fácil, porém, resolver numa plataforma política os dilemas que a teoria política feminista faz aflorar. A afirmação de que uma única matriz de desigualdades, seja ela gênero, classe, raça ou qualquer outra, está na raiz de todas as formas de dominação faz silenciar as experiências de muitos grupos e representa uma simplificação que, hoje, é dificilmente sustentável. O feminismo contribuiu para mostrar isso. Contribuiu para mostrar também que os diferentes padrões de dominação e de discriminação não estão apenas sobrepostos, mas se entrelaçam e produzem padrões novos, específicos. Tudo isso faz com que um projeto de mudança social que seja sensível à multiplicidade dessas vivências não tenha nada de óbvio.

A construção dos problemas e a produção da crítica à sociedade e à política precisam levar em conta gênero, classe e raça, além de outros elementos, como sexualidade, deficiências ou geração. Mas, se isso simplesmente levar a uma multiplicação sem fim de posições particulares, perde-se uma vez mais a possibilidade de conceber uma ação política transformadora. No limite, a multiplicação das particularidades nos leva de novo ao liberalismo: cada indivíduo é único, logo as injustiças são também individuais e a ação política pode ser pensada como nada mais do que ação individual autointeressada.

É evidente que a teoria feminista não tem, em nenhuma de suas múltiplas vertentes, a solução para esses dilemas. Mas, ao mesmo tempo, nenhuma solução pode prescindir de suas contribuições. A teoria política feminista, como buscamos mostrar neste livro, deslocou a compreensão do que é justiça, democracia, autonomia, identidade e fez isso motivada por uma compreensão profundamente crítica das instituições vigentes e das relações que elas fomentam. É esse olhar crítico, transformador – e não aquele que busca apenas um lugar ao sol para as mulheres, nos quadros da sociedade tal como é hoje – que produziu e produz o melhor do feminismo como movimento social e também como teoria política.

BIBLIOGRAFIA

ALAIMO, Stacy; HEKMAN, Susan (orgs.). *Material feminisms*. Bloomington, Indiana University Press, 2008.

ALMODOVAR, Norma Jean. Porn stars, radical feminists, cops, and outlaw whores: the battle between feminist theory and reality, free speech, and free spirits. In: SPECTOR, Jessica (org.). *Prostitution and pornography*: philosophical debate about the sex industry. Stanford, Stanford University Press, 2006.

ALVAREZ, Sonia E. *Engendering democracy in Brazil*. Princeton, Princeton University Press, 1990.

ANDALZÚA, Gloria. *Borderlands/La frontera*: the new mestiza. San Francisco, Aunt Lute Books, 1987.

ANDERSON, Elizabeth. What is the point of equality? *Ethics*, v. 109, n. 2, 1999, p. 287-337.

ARAÚJO, Clara. Mulheres e representação política: a experiência das cotas no Brasil. *Revista Estudos Feministas*, v. 6, n. 1, 1998, p. 71-90.

BADINTER, Elisabeth. *Rumo equivocado*: o feminismo e alguns destinos. Rio de Janeiro, Civilização Brasileira, 2005 [2003].

_____. *Un amour en plus*: histoire de l'amour maternel. Paris, Flammarion, 1980.

_____ (org.). *Palavras de homens (1790-1793)*. Rio de Janeiro, Nova Fronteira, 1991 [1989].

BANDEIRA, Lourdes. Três décadas de resistência feminista contra o sexismo e a violência feminina no Brasil: 1976-2006. *Sociedade & Estado*, v. 24, n. 2, 2009, p. 401-38.

BARRETT, Michèle. *Women's opression today*: the Marxist/feminist encounter. Londres, Verso, 1989 [1980].

BARRY, Brian. *Culture and equality*. Cambridge (MA), Harvard University Press, 2001.

BEAUVOIR, Simone de. *Le deuxième sexe*. Paris, Gallimard, 1949. 2 v.

BENHABIB, Seyla. The generalized and the concrete other: the Kohlberg-Gilligan controversy and feminist theory. In: BENHABIB, Seyla; CORNELL, Drucilla (orgs.). *Feminism as critique*. Minneapolis, University of Minnesota Press, 1987.

BICKFORD, Susan. *The dissonance of democracy*: listening, conflict, and citizenship. Ithaca, Cornell University Press, 1996.

BIROLI, Flávia. *Autonomia e desigualdades de gênero*: contribuições do feminismo para a crítica democrática. Vinhedo/Niterói, Horizonte/Eduff, 2013.

_____. *Família*: novos conceitos. São Paulo, Fundação Perseu Abramo, 2014.

_____. Gênero e família em uma sociedade justa: adesão e crítica à imparcialidade no debate contemporâneo sobre justiça. *Revista de Sociologia e Política*, n. 36, 2010, p. 51-65.

_____; MIGUEL, Luis Felipe (orgs.). *Teoria política e feminismo*: abordagens brasileiras. Vinhedo, Horizonte, 2012.

BORDO, Susan. *The flight to objectivity*: essays on cartesianism and culture. Albany, Suny, 1990.

_____. *Unbearable weight*: feminism, Western culture, and the body. Berkeley, University of California Press, 1993.

BOURDIEU, Pierre. *La domination masculine*. Paris, Seuil, 1998.

_____. La représentation politique. Éléments pour une théorie du champ politique. *Actes de la Recherche en Sciences Sociales*, n. 36-7, 1981, p. 3-24.

BRENNER, Johanna. *Women and the politics of class*. Nova York, Monthly Review Press, 2000.

BROWN, Wendy. The mirror of pornography. In: CORNELL, Drucilla (org.). *Feminism and pornography*. Oxford, Oxford University Press, 2000.

BROWNMILLER, Susan. *Against our will*: men, women and rape. Nova York, Fawcett Books, 1975.

_____. *In our time*: memoir of a revolution. Nova York, Delta, 1999.

BUTLER, Judith. *Bodies that matter*: on the discursive limits of "sex". Nova York, Routledge, 1993.

_____. Merely cultural. *Social Text*, n. 52-3, 1997, p. 265-77.

_____. *Problemas de gênero*: feminismo e subversão da identidade. Rio de Janeiro, Civilização Brasileira, 2003 [1990].

CALLINICOS, Alex. *Equality*. Cambridge, Polity, 2000.

CARNEIRO, Sueli. Mulheres em movimento. *Estudos Avançados*, n. 49, 2003, p. 117-33.

CHODOROW, Nancy. *The reproduction of mothering*. Berkeley, University of California Press, 1978.

CLEAVER, Eldridge. *Soul on ice*. Nova York, Delta, 1991 [1968].

CLIFF, Tony. Clara Zetkin and the German socialist feminist movement. *International Socialism*, segunda série, n. 13, 1981, p. 29-72.

COHEN, Jean L. *Regulating intimacy*. Princeton, Princeton University Press, 2002.

_____. Rethinking privacy: autonomy, identity, and the abortion controversy. In: WEINTRAUB, Jeff; KUMAR, Krishan (orgs.). *Public and private in thought and practice*: perspectives on a grand dichotomy. Chicago, The University of Chicago Press, 1997.

COLLINS, Patricia Hill. *Black feminist thought*: knowledge, consciousness and the politics of empowerment. Nova York, Routledge, 2009 [1990].

_____. *Black sexual politics*: African Americans, gender, and the new racism. Nova York, Routledge, 2004.

CORNELL, Drucilla. *At the heart of freedom*: feminism, sex, and equality. Princeton, Princeton University Press, 1998.

_____ (org.). *Feminism and pornography*. Oxford, Oxford University Press, 2000.

COSTA, Claudia de Lima. O sujeito no feminismo: revisitando os debates. *Cadernos Pagu*, n. 19, 2002, p. 59-90.

DALY, Mary. *Beyond God the father*: toward a philosophy of women's liberation. Boston, Beacon, 1993 [1973].

DAVIS, Angela Y. *Women, race & class*. Nova York, Vintage, 1983 [1981].

DEBERT, Guita Grin; GREGORI, Maria Filomena. Violência e gênero: novas propostas, velhos dilemas. *Revista Brasileira de Ciências Sociais*, n. 66, 2008, p. 165-85.

DELPHY, Christine. Feminismo e recomposição da esquerda. *Revista Estudos Feministas*, v. 2, n. 1, 1994 [1992], p. 187-99.

DICKER, Rory. *A history of U. S. feminisms*. Berkeley, Seal Studies, 2008.

DIETZ, Mary. Citizenship with a feminist face: the problem with maternal thinking. *Political Theory*, v. 13, n. 1, 1985, p. 19-37.

DWORKIN, Andrea. *Life and death*. Nova York, Free Press, 1997.

DWORKIN, Ronald. *Domínio da vida*: aborto, eutanásia e liberdades individuais. São Paulo, Martins Fontes, 2009 [1993].

____. *Sovereign virtue*: the theory and practice of equality. Cambridge (MA), Harvard University Press, 2000.

____. *Uma questão de princípio*. São Paulo, Martins Fontes, 2005 [1985].

EISENSTEIN, Zillah. Developing a theory of capitalist patriarchy and socialist feminism. In: ____ (org.). *Capitalist patriarchy and the case for socialist feminism*. Nova York, Monthly Review Press, 1979.

____. Some notes on the relations of capitalist patriarchy. In: ____ (org.). *Capitalist patriarchy and the case for socialist feminism*. Nova York, Monthly Review Press, 1979.

ELSHTAIN, Jean Bethke. *Public man, private woman*: women in social and political thought. 2. ed. Princeton, Princeton University Press, 1993 [1981].

____. *Real politics*: at the center of everyday life. Baltimore, The Johns Hopkins University Press, 1997.

____. The power and powerlessness of women. In: BOCK, Gisela; JAMES Susan (orgs.). *Beyond equality and difference*: citizenship, feminist politics, female subjectivity. Londres, Routledge, 1992.

ENGELS, Friedrich. *A origem da família, da propriedade privada e do Estado*. Rio de Janeiro, Civilização Brasileira, 1985 [1884].

FAUSTO-STERLING, Anne. The five sexes: why male and female are not enough. *The Sciences*, mar./abr., 1993, p. 20-6.

FINEMAN, Martha Albertson. *The autonomy myth*: a theory of dependency. Nova York, The New Press, 2004.

FINZI, Silvia Vegetti. Female identity between sexuality and maternity. In: BOCK, Gisela; JAMES, Susan (orgs.). *Beyond equality and difference*: citizenship, feminist politics, female subjectivity. Londres, Routledge, 1992.

FIRESTONE, Sulamith. *The dialectic of sex*: the case for feminist revolution. Nova York, Farrar, Straus and Giroux, 2003 [1970].

FLORESTA, Nísia. *Direitos das mulheres e injustiça dos homens*. São Paulo, Cortez, 1989 [1832].

FOLBRE, Nancy. *Who pays for the kids*: gender and the structures of constraint. Londres, Routledge, 1994.

____; BITTMAN, Michael (orgs.). *Family time*: the social organization of care. Londres, Routledge, 2004.

FONSECA, Cláudia. Homoparentalidade: novas luzes sobre o parentesco. *Revista Estudos Feministas*, v. 16, n. 3, 2008, p. 769-83.

FONTOURA, Natália et al. Pesquisas de uso do tempo no Brasil: contribuições para a formulação de políticas de conciliação entre trabalho, família e vida pessoal. *Revista Econômica*, v. 12, n. 1, 2010, p. 12-46.

FRANCESCHET, Susan; KROOK, Mona Lee; PISCOPO, Jennifer M. Conceptualizing the impact of gender quotas. In: ____ (orgs.). *The impact of gender quotas*. Oxford, Oxford University Press, 2012.

FRASER, Nancy. A rejoinder to Iris Young. *New Left Review*, n. 223, 1997, p. 126-9.

____. Heterosexism, misrecognition and capitalism: a response to Judith Butler. *Social Text*, n. 52-3, 1997, p. 279-89.

____. *Justice interruptus*: critical reflections on the "postsocialist" condition. Nova York, Routledge, 1997.

____. Rethinking the public sphere: a contribution to the critique of actually existing democracy. In: CALHOUN, Craig (org.). *Habermas and the public sphere*. Cambridge, The MIT Press, 1992.

____. Social justice in the age of identity politics: redistribution, recognition, and participation. In: ____; HONNETH, Axel. *Redistribution or recognition?* A political-philosophical exchange. Londres, Verso, 2003.

____. *Unruly practices*: power, discourse, and gender in contemporary social theory. Minneapolis, University of Minnesota Press, 1989.

FRIEDAN, Betty. *The feminine mystique*. Nova York, Norton, 2001 [1963].

FRIEDMAN, Marilyn. *Autonomy, gender, politics*. Oxford, Oxford University Press, 2003.

____. Beyond caring: the de-moralization of gender. In: HELD, Virginia (org.). *Justice and care*. Oxford, Westview, 1995.

GIBSON, Pamela Church (org.). *More dirty looks*: gender, pornography and power. Londres, British Film Institute, 2004.

GILLIGAN, Carol. *In a different voice*. Cambridge (MA), Harvard University Press, 1982.

GOLDMAN, Emma. The tragedy of woman's emancipation. In: ____. *Anarchism and other essays*. North Charleston, CreateSpace, 2013 [1911].

GORZ, André. *Métamorphoses du travail*: quête du sens. Critique de la raison économique. Paris, Galilée, 1988.

GOUGES, Olympe de. "Déclaration des droits de la femme et de la citoyenne" [1791]. Disponível em: <http://www.histoire-en-ligne.com/spip.php?article154>; acessado em: 16 set. 2012.

GREER, Germaine. *The female eunuch*. Nova York, HarperCollins, 1991 [1970].

GROSSI, Miriam Pillar. Gênero e parentesco: famílias gays e lésbicas no Brasil. *Cadernos Pagu*, n. 21, 2003, p. 261-80.

HABERMAS, Jürgen. *Mudança estrutural da esfera pública*. Rio de Janeiro, Tempo Brasileiro, 1984 [1962].

HALVORSEN, Rune Sander; PRIEUR, Annick. Le droit à l'indifférence: le mariage homossexuel. *Actes de la Recherce en Sciences Sociales*, n. 113, 1996, p. 6-15.

HARDING, Sandra. *The science question in feminism*. Ithaca, Cornell University Press, 1986.

HARTSOCK, Nancy C. M. The feminist standpoint: developing the ground for a specifically feminist historical materialism. In: ____. *The feminist standpoint revisited and other essays*. Boulder, Westview, 1998 [1983].

HELD, Virginia. *Feminist morality*: transforming culture, society, and politics. Chicago, The University of Chicago, 1993.

HIGGINS, Jenny. Sex, unintended pregnancy, and poverty: one woman's evolution from "choice" to "reproductive justice". In: JACOB, Krista (org.). *Abortion under attack*: women on the challenges facing choice. Emeryville, Seal, 2006.

HONNETH, Axel. *Luta por reconhecimento*: a gramática moral dos conflitos sociais. 2. ed. São Paulo, Editora 34, 2009 [1992].

____. Redistribution as recognition: a response to Nancy Fraser. In: FRASER, Nancy; HONNETH, Axel. *Redistribution or recognition?* A political-philosophical exchange. Londres, Verso, 2003.

HOOKS, Bell. *Ain't a woman?* Black women and feminism. Cambridge (MA), South End, 1981.

____. *Feminist theory*: from margin to center. Cambridge (MA), South End, 2000 [1984].

HTUN, Mala. What it means to study gender and the State. *Gender & Society*, v. 1, n. 1, 2005, p. 157-66.

HUDA, Sigma. *Report of the special rapporteur on the human rights aspects of the victims of trafficking in persons, especially women and children*. Nova York, UN Commission on Human Rights, 2006. Disponível em: <http://www.refworld.org/docid/48abd53dd.html>; acessado em: 29 jun. 2013.

HULL, Gloria T.; SCOTT, Patricia Bell; SMITH, Barbara (orgs.). *All the women are White, all the Blacks are men, but some of us are brave*: Black women's studies. Nova York, The Feminist Press at Cuny, 1993.

INSTITUTO BRASILEIRO DE GEOGRAFIA E ESTATÍSTICA (IBGE). *Pesquisa nacional por amostra de domicílios 2012*: síntese de indicadores. Rio de Janeiro, IBGE, 2013.

INSTITUTO DE PESQUISA ECONÔMICA APLICADA (Ipea). *Retrato das desigualdades de gênero e raça*. Brasília, Ipea, ONU Mulheres, SPM, Seppir, 2011.

IRIGARAY, Luce. *Ce sexe qui n'en est pas un*. Paris, Minuit, 1977.

JEFFREYS, Sheila. *Beauty and misogyny*: harmful cultural practices in the West. Londres, Routledge, 2005.

____. Beyond "agency" and "choice" in theorizing prostitution. In: COY, Maddy (org.). *Prostitution, harm and gender inequality*: theory, research and policy. Farnham, Ashgate, 2012.

KOHLBERG, Lawrence. *Essays on moral development*: the philosophy of moral development. San Francisco, Harper & Row, 1981.

KOLLONTAI, Alexandra. Communism and the family. In: ____. *Selected writings*. Nova York, Norton, 1980 [1920].

KRISTEVA, Julia. Women's time. *Signs*, v. 7, n. 1, 1981 [1979], p. 13-35.

KUO, Leonere. *Prostitution policy*: revolutionizing practice through a gendered perspective. Nova York, New York University Press, 2005.

LAWLESS, Jennifer L.; FOX, Richard L. *It takes a candidate*: why women don't run for office. Cambridge, Cambridge University Press, 2005.

LEVINE, Philippa. *Prostitution, race and politics*: policing venereal disease in the British Empire. Nova York, Routledge, 2003.

LEVY, Ariel. *Female chauvinist pigs*: women and the rise of raunch culture. Nova York, Free Press, 2005.

LLOYD, Genevieve. *The man of reason*: "male" and "female" in Western philosophy. Minneapolis, University of Minnesota Press, 1984.

LORBER, Judith. *Paradoxes of gender*. New Haven, Yale University Press, 1994.

LORDE, Audre. *Sister outsider*: essays and speeches. Berkeley, Crossing, 1984.

LOVENDUSKI, Joni. Introduction: State feminism and the political representation of women. In: _____, Joni (org.). *State feminism and political representation*. Cambridge, Cambridge University Press, 2003.

LUGONES, María. Colonialidad y género. *Tábula Rasa*, n. 9, 2008, p. 73-101.

_____. Toward a decolonial feminism. *Hypatia*, v. 25, n. 4, 2010, p. 742-59.

MACEDO, Stephen; YOUNG, Iris Marion (orgs.). *Child, family, and State*. Nova York, New York University Press, 2003.

MACHADO, Maria das Dores Campos. Aborto e ativismo religioso nas eleições de 2010". *Revista Brasileira de Ciência Política*, n. 7, 2012, p. 25-54.

_____; BARROS, Myriam Lins de. Gênero, geração e classe: uma discussão sobre as mulheres das camadas médias e populares do Rio de Janeiro. *Revista Estudos Feministas*, v. 17, n. 2, 2009, p. 369-93.

MacKINNON, Catharine A. *Feminism unmodified*. Cambridge (MA), Harvard University Press, 1987.

_____. *Only words*. Cambridge (MA), Harvard University Press, 1993.

_____. *Toward a feminist theory of the State*. Cambridge (MA), Harvard University Press, 1989.

_____. Trafficking, prostitution, and inequality. *Harvard Civil Rights-Civil Liberties Law Review*, v. 46, n. 2, 2011, p. 272-309.

_____. *Women's lives, men's laws*. Cambridge (MA), Harvard University Press, 2005.

_____; DWORKIN, Ronald. Pornography: an exchange. In: CORNELL, Drucilla (org.). *Feminism and pornography*. Oxford, Oxford University Press, 2000.

MacPHERSON, C. B. *The political theory of possessive individualism*: Hobbes to Locke. Oxford, Oxford University Press, 1962.

MANSBRIDGE, Jane. Carole Pateman: radical liberal? In: O'NEILL, Daniel I.; SHANLEY, Mary Lyndon; YOUNG, Iris Marion (orgs.). *Illusion of consent*: engaging with Carole Pateman. University Park, The Pennsylvania State University Press, 2008.

BIBLIOGRAFIA 159

MARIANO, Silvana Aparecido. O sujeito do feminismo e o pós-estruturalismo. *Revista Estudos Feministas*, v. 13, n. 3, 2005, p. 483-505.

MARNEFFE, Peter de. *Liberalism and prostitution*. Oxford, Oxford University Press, 2009.

McCLAIN, Linda C. *The place of families*: fostering capacities, equality, and responsibility. Cambridge (MA), Harvard University Press, 2006.

McFELY, William S. *Frederick Douglass*. Nova York, W. W. Norton, 1991.

MELLO, Luiz. Familismo (anti)homossexual e regulação da cidadania no Brasil. *Revista Estudos Feministas*, v. 14, n. 2, 2006, p. 497-508.

MIGUEL, Luis Felipe. Aborto e democracia. *Revista Estudos Feministas*, v. 20, n. 3, 2012, p. 657-72.

_____. *Democracia e representação*: territórios em disputa. São Paulo, Editora Unesp, 2014.

_____. Política de interesses, política do desvelo: representação e "singularidade feminina". *Revista Estudos Feministas*, v. 9, n. 1, 2001, p. 253-67.

_____. Teoria política feminista e liberalismo: o caso das cotas de representação. *Revista Brasileira de Ciências Sociais*, n. 44, 2000, p. 91-102.

_____; BIROLI, Flávia. *Caleidoscópio convexo*: mulheres, política e mídia. São Paulo, Editora Unesp, 2011.

_____; _____ (orgs.). *Teoria política feminista*: textos centrais. Vinhedo/Niterói, Horizonte/Eduff, 2013.

MILKMAN, Ruth. Women's history and the Sears case. *Feminist Studies*, v. 12, n. 2, 1986, p. 375-400.

MILL, Harriet Taylor. La concesión del derecho de voto a las mujeres. In: MILL, John Stuart; MILL, Harriet Taylor. *Ensayos sobre la igualdad sexual*. Madri, Cátedra; Valência, Universitat de València, 2001 [1851].

MILL, James. On government. In: _____. *Political writings*. Cambridge, Cambridge University Press, 1992 [1820].

MILL, John Stuart. *On liberty*. Sioux Falls, New Vision, 2008 [1859].

_____. Primeros ensayos sobre matrimonio y divorcio: ensayo de John Stuart Mill. In: MILL, John Stuart; MILL, Harriet Taylor. *Ensayos sobre la igualdad sexual*. Madri, Cátedra; Valência, Universitat de València, 2001 [c. 1832].

MILLETT, Kate. *Sexual politics*. Urbana, University of Illinois Press, 2000 [1969].

_____. *The prostitution papers*: a quartet for female voice. Nova York, Ballantine, 1976.

MOI, Toril. *What is a woman?* And other essays. Oxford, Oxford University Press, 1999.

MURARO, Rose Marie. *Sexualidade da mulher brasileira*: corpo e classe social no Brasil. Petrópolis, Vozes, 1983.

NEWTON, Huey P. *Revolutionary suicide*. Nova York, Penguin, 2009 [1973].

NUSSBAUM, Martha C. *Sex and social justice*. Oxford, Oxford University Press, 1999.

_____. *Woman and human development*: the capabilities approach. Cambridge, Cambridge University Press, 2008 [2000].

OKIN, Susan Moller. Gender, the public, and the private. In: PHILLIPS, Anne (org.). *Feminism and politics*. Oxford, Oxford University Press, 1998.

____. *Justice, gender, and the family*. Nova York, Basic Books, 1989.

____. Reason and feeling in thinking about justice. *Ethics*, v. 99, n. 2, 1989, p. 229-49.

____. *Women in Western political thought*. Princeton, Princeton University Press, 1979.

____ et al. *Is multiculturalism bad for women?* Org. Joshua Cohen, Matthew Howard e Martha C. Nussbaum. Princeton, Princeton University Press, 1999.

PARREIRAS, Carolina. Altporn, corpos, categorias e cliques. *Cadernos Pagu*, n. 38, 2012, p. 197-222.

PATEMAN, Carole. Soberania individual e propriedade na pessoa. *Revista Brasileira de Ciência Política*, n. 1, 2009 [2002], p. 171-218.

____. *The disorder of women*. Stanford, Stanford University Press, 1989.

____. *The problem of political obligation*: a critique of liberal theory. Berkeley, University of California Press, 1985 [1979].

____. *The sexual contract*. Stanford, Stanford University Press, 1988.

PHILLIPS, Anne. *Democracy and difference*. University Park, The Pennsylvania State University Press, 1993.

____. *Engendering democracy*. Cambridge, Polity, 1991.

____. From inequality to difference: a severe case of displacement? *New Left Review*, n. 224, 1997, p. 143-53.

____. *Gender and culture*. Oxford, Polity, 2011.

____. *Multiculturalism without culture*. Princeton, Princeton University Press, 2007.

____. *The politics of presence*. Oxford, Oxford University Press, 1995.

____. *Which equalities matter?* Londres, Polity, 1999.

PIERUCCI, Antônio Flávio. *Ciladas da diferença*. São Paulo, Editora 34, 1999.

PINTO, Céli Regina Jardim. *Uma história do feminismo no Brasil*. São Paulo, Fundação Perseu Abramo, 2003.

PITKIN, Hanna Fenichel. *The concept of representation*. Berkeley, University of California Press, 1967.

PIZÁN, Cristina de. *La ciudad de las damas*. 2. ed. Madri, Siruela, 2000 [1405].

RAWLS, John. *A theory of justice*. Cambridge (MA), Harvard University Press, 1971.

RICH, Adrienne. Compulsory heterosexuality and lesbian existence. *Signs*, v. 5, n. 4, 1980, p. 631-60.

ROCHA, Maria Isabel Baltar da. A discussão política sobre o aborto no Brasil. *Revista Brasileira de Estudos Populacionais*, v. 23, n. 2, 2006, p. 169-74.

ROWLEY, Hazel. *Tête-à-tête*: Simone de Beauvoir e Jean-Paul Sartre. São Paulo, Objetiva, 2006 [2005].

RUBIN, Gayle. The traffic of women: notes on the "political economy" of sex. In: NICHOLSON, Linda (org.). *The second wave*: a reader in feminist theory. Nova York, Routledge, 1997 [1997].

RUDDICK, Sara. Injustice in families: assault and domination. In: HELD, Virginia (org.). *Justice and care*. Oxford, Westview, 1995.

____. *Maternal thinking*: toward a politics of peace. Boston, Beacon, 1989.

SAFFIOTI, Heleieth Iara Bongiovani. *A mulher na sociedade de classes*: mito e realidade. Petrópolis, Vozes, 1976.

SANDEL, Michael J. *Liberalism and the limits of justice*. Cambridge, Cambridge University Press, 1998 [1982].

SCHOEN, Johanna. *Choice and coercion*: birth control, sterilization, and abortion in public health and welfare. Chapel Hill, The University of North Carolina Press, 2005.

SCOTT, Joan W. *A cidadã paradoxal*: as feministas francesas e os direitos do homem. Florianópolis, Mulheres, 2002 [1996].

_____. *Gender and the politics of history*. Edição revisada. Nova York, Columbia University Press, 1999 [1989].

SEN, Amartya. *The idea of justice*. Cambridge (MA), Harvard University Press, 2009.

SMITH, Barbara. *The truth that never hurts*: writings on race, gender, and freedom. Piscataway, Rutgers University Press, 1998.

SOUZA-LOBO, Elizabeth. *A classe operária tem dois sexos*: trabalho, dominação e resistência. São Paulo, Brasiliense, 1991.

SPELMAN, Elizabeth V. *Inessential woman*: problems of exclusion in feminist thought. Boston, Beacon, 1988.

SPIVAK, Gayatri Chakravorty. Strategies of vigilance: an interview with Gayatri Chakravorty Spivak. *Block*, n. 10, 1985, p. 5-9. (Entrevista concedida a Angela McRobbie.)

STACEY, Judith. *In the name of family*: rethinking family values in the postmodern age. Boston, Beacon, 1996.

STETSON, Dorothy McBride. Feminist perspectives on abortion and reproductive technologies. In: GITHENS, Marianne; STETSON, Dorothy MacBride (orgs.). *Abortion politics*: public-policy in crosscultural perspective. Nova York, Routledge, 1996.

STUDART, Heloneida. *Mulher, objeto de cama e mesa*. Petrópolis, Vozes, 1974.

TAYLOR, Charles. *The ethics of authenticity*. Cambridge (MA), Harvard University Press, 1991.

THOMSON, Judith Jarvis. A defense of abortion. *Philosophy & Public Affairs*, v. 1, n. 1, 1971, p. 47-66.

TRISTAN, Flora. *The workers' union*. Urbana, University of Illinois Press, 2008 [1843].

TRUTH, Sojourner. *Ain't I a woman?*. Disponível em: <http://www.fordham.edu/halsall/mod/sojtruth-woman.asp>; acessado em: 19 set. 2012. (Modern History Sourcebook, 1997 [1851]).

VARIKAS, Eleni. Une représentation en tant que femme? Réflexions critiques sur la demande de la parité des sexes. *Nouvelles Questions Feministes*, v. 16, n. 2, 1995, p. 81-127.

WALBY, Sylvia. *Theorizing patriarchy*. Oxford, Basil Blackwell, 1990.

WILLIAMS, Melissa S. *Voice, trust, and memory*: marginalized groups and the failings of liberal representation. Princeton, Princeton University Press, 1998.

WITTIG, Monique. The category of sex. *Feminist Issues*, v. 2, n. 2, 1982, p. 63-8.

WOLF, Naomi. *The beauty myth*: how images of beauty are used against women. Nova York, Harper Perennial, 2002 [1991].

WOLLSTONECRAFT, Mary. *A vindication of the rights of woman*: with strictures on political and moral subjects. Nova York, The Modern Library, 2001 [1792].

WOODHOUSE, Barbara Bennett. Children's rights in gay and lesbian families: a child-centered perspective. In: MACEDO, Stephen; YOUNG, Iris Marion (orgs.). *Child, family, and State (Nomos XLIV)*. Nova York, New York University Press, 2003.

YOUNG, Iris Marion. *Inclusion and democracy*. Oxford, Oxford University Press, 2000.

_____. *Intersecting voices*: dilemmas of gender, political philosophy, and policy. Princeton, Princeton University Press, 1997.

_____. *Justice and the politics of difference*. Princeton, Princeton University Press, 1990.

_____. *On female body experience*: "Throwing like a girl" and other essays. Oxford, Oxford University Press, 2005.

_____. *Responsibility for justice*. Oxford, Oxford University Press, 2011.

_____. Throwing like a girl: a phenomenology of feminine body comportment, motility, and spaciality. In: *Throwing like a girl and other essays in feminist philosophy and social theory*. Bloomington, Indiana University Press, 1990 [1980].

_____. Unruly categories: a critique of Nancy Fraser's dual system theory. *New Left Review*, n. 222, 1997, p. 147-60.

ŽIŽEK, Slavoj. *En defensa de la intolerancia*. Madri, Sequitur, 2009.

SOBRE OS AUTORES

. . . .

Luis Felipe Miguel (Rio de Janeiro, 1967) é doutor em ciências sociais pela Universidade Estadual de Campinas (Unicamp) e professor titular do Instituto de Ciência Política da Universidade de Brasília (UnB), onde coordena o Grupo de Pesquisa sobre Democracia e Desigualdades (Demodê) e edita a *Revista Brasileira de Ciência Política*. É pesquisador do Conselho Nacional de Desenvolvimento Científico e Tecnológico (CNPq) e vice-presidente da Associação Brasileira de Pesquisadores em Comunicação e Política (Compolítica). É autor de dezenas de artigos em publicações acadêmicas e dos livros *Revolta em Florianópolis: a novembrada de 1979* (Insular, 1995), *Mito e discurso político* (Editora Unicamp, 2000), *Política e mídia no Brasil* (Plano, 2002), *O nascimento da política moderna* (Editora UnB, 2007), *Caleidoscópio convexo: mulheres, política e mídia* (com Flávia Biroli, Editora Unesp, 2011) e *Democracia e representação: territórios em disputa* (Editora Unesp, 2014). Organizou os livros *Mídia, representação e democracia* (com Flávia Biroli, Hucitec, 2010), *Coligações partidárias na nova democracia brasileira* (com Silvana Krause e Rogério Schmitt, Editora Unesp, 2010), *Teoria política e feminismo: abordagens brasileiras* (com Flávia Biroli, Horizonte, 2012), *Teoria política feminista: textos centrais* (com Flávia Biroli, Eduff e Horizonte, 2013), *A democracia face às desigualdades: problemas e horizontes* (com Flávia Biroli, Danusa Marques e Carlos Machado, Alameda, 2015) e *Dominação e resistência: desafios para uma política emancipatória* (Boitempo, 2018).

Flávia Biroli (São José do Rio Preto, 1975) é doutora em história pela Universidade Estadual de Campinas (Unicamp) e vice-diretora do Instituto de Ciência Política da Universidade de Brasília (UnB), onde também coordena o Grupo de Pesquisa sobre Democracia e Desigualdades (Demodê). É pesquisadora do Conselho Nacional de Desenvolvimento Científico e Tecnológico (CNPq) e foi diretora da Associação Nacional de Pós-Graduação e Pesquisa em Ciências Sociais (Anpocs) (2010-2012). Edita, com Luis Felipe Miguel, a *Revista*

Brasileira de Ciência Política. É autora dos livros *Caleidoscópio convexo: mulheres, política e mídia* (com Luis Felipe Miguel, Editora Unesp, 2011), *Autonomia e desigualdades de gênero: contribuições do feminismo para a teoria democrática* (Eduff e Horizonte, 2013) e *Família: novos conceitos* (Fundação Perseu Abramo, 2014). Organizou os livros *Mídia, representação e democracia* (com Luis Felipe Miguel, Hucitec, 2010), *Teoria política e feminismo: abordagens brasileiras* (com Luis Felipe Miguel, Horizonte, 2012), *Teoria política feminista: textos centrais* (com Luis Felipe Miguel, Eduff e Horizonte, 2013), *A democracia face às desigualdades: problemas e horizontes* (com Luis Felipe Miguel, Danusa Marques e Carlos Machado, Alameda, 2015), *Gênero e desigualdades: limites da democracia no Brasil* (Boitempo, 2018) e *Gênero, neoconservadorismo e democracia* (com Maria das Dores Campos Machado e Juan Marco Vaggione, Boitempo, 2020).

Angela Davis no Festival Mundial da Juventude e dos Estudantes pela Solidariedade Anti-imperialista, a Paz e a Amizade. Berlim, 4 de agosto de 1973.

Publicado em novembro de 2014, ano em que se completaram 70 anos do nascimento de Angela Yvonne Davis, este livro foi composto em Adobe Garamond Pro, corpo 11,5/15,5, e reimpresso em papel Avena 80 g/m² pela gráfica Rettec, para a Boitempo, em outubro de 2020, com tiragem de 2.000 exemplares.